Quaderns

El inconsciente suburbano o relatos de ninguna parte
The suburban unconscious, or stories of nowhere

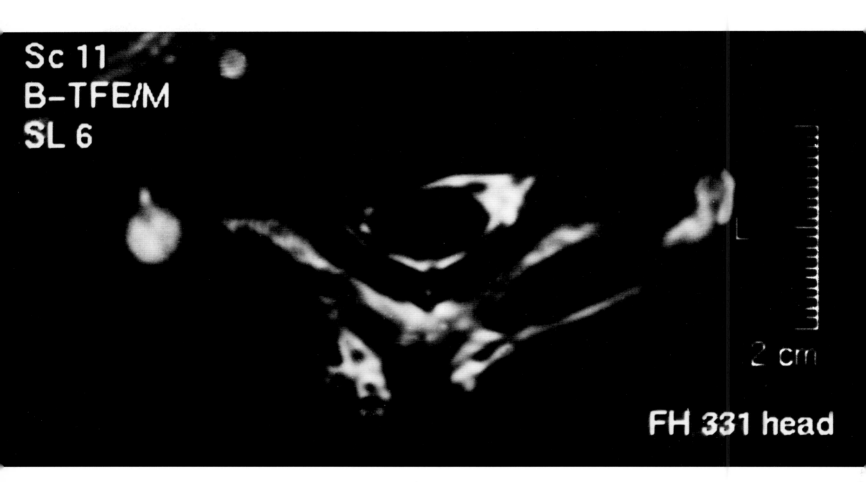

Sc 11
B-TFE/M
SL 6

2 cm

FH 331 head

ANALOGY BETWEEN HORIZONTAL SECTION OF HUMAN VERTEBRA AND AERIAL IMAGE OF PRIVATE VEHICLE

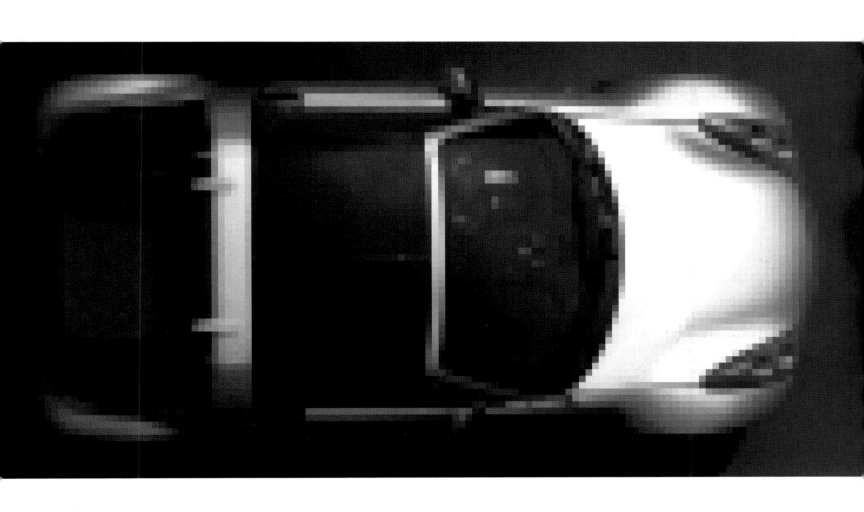

ANALOGÍA ENTRE CORTE HORIZONTAL DE CERVICAL HUMANA Y ORTOFOTOIMAGEN DE VEHÍCULO DE TRANSPORTE PRIVADO

A great deal has been said about the dysfunctional nature of the suburban model, including in these pages (*Quaderns* 225, 228, 231). The increase in individual mobility based on the car and the construction of great road infrastructures; the change in scale of industrial production and the displacement out to the periphery of workshops, warehouses and factories; the appearance of shopping and leisure malls in direct association with road networks; the carving up of rural and forest land into affordable properties; the development of a mortgage system geared to the purchase of family homes; the burgeoning of the myth of the house with a garden, and life in a natural setting with all the conveniences of a perfectly connected world: in the second half of the twentieth century, all of this has produced the uncontrolled spread of low-density urbanisation across the territory with a huge impact on the environment and major social consequences.

In this time, we have seen how road infrastructures intended to solve mobility problems arising from low-density suburban reality, constructed with the help of major public investment, led to an increase in the number of cars on the road, rapidly bringing infrastructures to a standstill. We have also seen how the energy consumed by private transport and the sprawling city affect the climate, and the consumption of land modifies and fractures the territory. And, most of all, we have seen how the processes of spatial segregation and the disappearance of common space for debate and sociability are one cause of the disappearance of a series of forms of relation, indisputably linked to the urban phenomenon not merely in terms of origin and historical evolution, but also in so far as urban space is the setting for the complex network of relations and balance underpinning a plural society that rewrites itself every day by means of friction, use and the constant negotiation of relations in a common public space.

John Urry explains how the myth of the freedom of the road has become the tyranny of fragmented activities and simplified uses of time. This process of movement of reality into separate but interdependent spaces typifies a suburban model in which residence, mobility, leisure, information and consumption are progressively broken down and encapsulated. Even as a sublimated image, as a perfect dream, suburban reality is broken down into an individual (or family) scale and a sequence of separate places and moments. It is therefore easy to imagine this model of urbanisation as a spatial artefact linking a series of synthetic, clearly defined, distinct activities, a system rationalised by a Taylorist organisation of time and activities. A city seen as a production line, in which roads are the conveyor belts in a gigantic factory. What we have to ask ourselves is what is being manufactured on this vast assembly line, what history is being written — and what is being left out, the stories that are not told, the unconscious.

Mucho se ha hablado ya de la disfuncionalidad del modelo suburbano. También en estas páginas (Quaderns 225, 228, 231). El aumento de la movilidad individual basada en el coche y en la construcción de grandes infraestructuras viarias, el cambio de escala de la producción industrial y el desplazamiento a la periferia de talleres, almacenes y fábricas, la aparición de centros comerciales y de ocio asociados a las redes viarias, la fácil reparcelación del suelo rural y forestal en propiedades asequibles individualmente, el desarrollo de un sistema hipotecario ajustado a la adquisición de la vivienda familiar, el florecimiento del mito de la casa con jardín, una vida en la naturaleza con las comodidades de un mundo perfectamente conectado: todo ello ha provocado en la segunda mitad de siglo xx una dispersión desmesurada de la urbanización de baja densidad por el territorio con un enorme impacto sobre el medio ambiente e importantes consecuencias sociales.

Por el momento, hemos visto como las infraestructuras viarias destinadas a resolver los problemas de movilidad derivados de la realidad suburbana de baja densidad y construidas con un gran esfuerzo de inversión pública conducían a un incremento del parque automovilístico que provocaba su rápido colapso. También hemos visto como el consumo energético del transporte privado y de la ciudad dispersa afectaba al clima, y el consumo de suelo modificaba y fracturaba el territorio. Y sobre todo, hemos visto como los procesos de segregación espacial y desaparición del espacio común de debate y encuentro social constituyen una de las causas de la pérdida de una serie de formas de relación, indiscutiblemente vinculadas a lo urbano, no sólo en lo que se refiere a su origen y su evolución histórica, sino también en la medida en que el espacio urbano localiza el complejo entramado de relaciones y equilibrios que conforman una sociedad plural que se reactualiza a diario mediante la fricción, el uso y la negociación constante de relaciones en un espacio público común.

Explica John Urry que el mito de la libertad del automóvil se convierte en la tiranía de la fragmentación de las actividades y la simplificación de los usos del tiempo. Este proceso de decantación de una realidad en espacios descompuestos pero interdependientes resume un modelo suburbano en que la residencia, la movilidad, el ocio, la información y el consumo experimentan una progresiva disgregación y encapsulamiento. Aun como imagen sublimada, como sueño perfecto, la realidad suburbana se descompone en una escala individual (o familiar) y en una secuencia de lugares y momentos separados. No resulta difícil, pues, imaginar este modelo de urbanización como un artefacto espacial que encadena una serie de actividades sintéticas, claramente definidas y desbrozadas. En definitiva, un sistema racionalizado mediante una organización taylorista del tiempo y de las actividades. Una ciudad entendida como una cadena de montaje, en la que las carreteras serían las cintas transportadoras de una fábrica de dimensiones descomunales. Queda preguntarse qué es finalmente lo que se fabrica en esa enorme cadena de montaje, qué historia se elabora. Y también, qué es lo que queda fuera de campo, lo no relatado, lo inconsciente.

Quaderns
d'arquitectura i urbanisme

http://quaderns.coac.net
e-mail: quaderns@coac.net
Tel. +34 93 306 78 18
Fax +34 93 412 00 68

Directores · Editors	Ivan Bercedo - Jorge Mestre
Redacción · Editorial staff	Ignacio Añoveros
Grafismo · Graphic design	Marc Valls
Textos para este número · Texts for this issue	Gilles Lipovetsky, Javier Vallhonrat, Kendell Geers, Mike Davis, John Urry, Jonathan Woodroffe
Traducción al inglés · English translator	Elaine Fradley
Traducción al castellano · Spanish translator	Natalia Gascón, Carla Ros
Revisión de textos · Revision of texts	Graham Thomson, Natalia Gascón
Administración · Administration	Roser Badal e-mail: rbadal@coac.net
Webmaster	coacnet, Amadeu Santacana
Agradecimientos a · Special thanks to	Anagrama; Éditions Liber; Lengua de Trapo; L.A. Galerie Lothar Albrecht; Galería Helga de Alvear; Robert Shimshak; Oliver Croÿ; Jordi Bernadó; Fundació La Caixa
Editor · Publisher	Col·legi d'Arquitectes de Catalunya Pl. Nova, 5 08002 Barcelona Tel. +34 93 301 50 00
Concepto, redacción y gestión · Idea, editing and management	MIZIEN, SL Roger de Llúria, 40 08009 Barcelona Tel. +34 93 342 53 06 Fax +34 93 342 53 07
Producción · Production	Ediciones Reunidas, SA / GRUPO ZETA Bailén, 84 08009 Barcelona Tel. +34 93 484 66 00 Fax +34 93 232 44 71 Fotomecánica · Photomechanical process C G Anmar, SL Impresión · Printed by NG Nivell Gràfic
Distribución nacional e internacional · National and international distribution **Subscripciones** · Subscriptions	Editorial Gustavo Gili, SA Rosselló, 87-89 08029 Barcelona, Spain Tel. +34 93 322 81 61 Fax +34 93 322 92 05 e-mail: pedidos@ggili.com
Publicidad · Advertising	Departament de Gestió de Recursos Col·legi d'Arquitectes de Catalunya Pl. Nova 5, 08002 Barcelona Tel. +34 93 306 78 14 Fax +34 93 302 53 91 e-mail: dgr@coac.net
Envío a los arquitectos colegiados · Dispatch to Association members	Logística de Medios Departamento de subscripciones Ronda Sant Antoni, 36-38, 3a planta 08001 Barcelona Tel. +34 93 443 09 09 Fax +34 93 441 38 03

Colegio de Arquitectos de Cataluña · Catalan Architects' Association

Decano · President	Jesús Alonso i Sáinz
Secretario · Secretary	Jorge Ozores Marco-Gardoqui
Tesorero · Treasurer	Josep Maria Guillumet i Anés
Presidente Demarcación Barcelona · Barcelona Branch President	Jordi Ludevid i Anglada
Presidente Demarcación Girona · Girona Branch President	Carles Bosch i Genover
Presidente Demarcación Lleida · Lleida Branch President	Pere Robert i Sampietro
Presidente Demarcación Tarragona · Tarragona Branch President	Jordi Bergadà i Masquef
Presidente Demarcación L'Ebre · Ebre Branch President	Carlos Vergés i Alonso
Vocales · Board members	Jordi Sardà i Ferran, Santiago Cervelló i Delgado, Joaquim Figa i Mataró, Elsa Ibar i Torras

copyright © 2003 Col·legi d'Arquitectes de Catalunya

© De los textos, sus autores · Texts, their authors

© De las imágenes, sus autores · Images, their authors

Fotografía de la cubierta · Cover photograph: © Mestre-Bercedo

ISSN 1133-8857   Depósito Legal B-18372-2000

Impreso y encuadernado en la Unión Europea
Printed and bound in the European Union

Barcelona, abril de · April 2003

Precio en España · Price in Spain: 22 €, IVA incluido

Difusión controlada por OJD

ÍNDICE · CONTENTS

SUBURBIA

No hay nada que hacer en Suburbia. ❙ There's nothing to do in Suburbia.

Bill Owens es fotógrafo. En 1968 empezó a colaborar con el periódico *Independent News* en Livermore, California, lo que le permitió un contacto directo y diario con el contexto suburbial en un momento en el que, como el propio Owens ha explicado, se producía un desplazamiento masivo hacia unos barrios periféricos donde era posible comprar una casa con piscina y garaje por dos mil dólares. El libro que recoge su trabajo de esos años, *Suburbia* (Straight Arrow Books, 1972), tuvo un enorme impacto en los años setenta y, con el tiempo, se ha convertido en un referente de ese mundo. Otros trabajos de Owens son *Our Kind of People* (Straight Arrow Books, 1974), que reúne fotografías de diferentes asociaciones, grupos de amigos, comunidades religiosas, cofradías, etc. y *Working (I do it for the money)* (Simon and Schuster, 1976), en el que refleja las preocupaciones, los intereses y las frustraciones de trabajadores de todo tipo: vendedores, obreros, prostitutas y predicadores. ❙ Bill Owens is a photographer. In 1968 he started to contribute to the *Independent News*, Livermore, California, which gave him direct, day to day contact with the suburban context at a time when, as Owens himself explains, a mass movement was taking place to outlying districts where it was possible to buy a house with a swimming pool and garage for two thousand dollars. The book that brings together his work from that period, *Suburbia* (Straight Arrow Books, 1972), made a huge impact in the 1970s and, with time, has become a point of reference for the study of the suburban world. Other works by Owens are *Our Kind of People* (Straight Arrow Books, 1974), bringing together photographs of different associations, groups of friends, religious communities, guilds, etc. and *Working (I do it for the money)* (Simon and Schuster, 1976) in which he reflects the concerns, interests and frustrations of workers of all kinds: salespeople, labourers, prostitutes and preachers.

Nuestra casa está construida con el salón en la parte trasera. Por eso por las tardes nos sentamos delante del garaje y vemos pasar los coches. ❙ Our house is built with the living room in the back, so in the evenings we sit out front of the garage and watch the traffic go by.

Páginas · Pages 10-11 ▶

Es nuestra segunda fiesta anual del barrio con motivo del 4 de julio. Este año vinieron treinta y tres familias. Teníamos cerveza, pollo a la barbacoa, mazorcas, ensaladas de patata, verde, de macarrones y sandía. Después de comer y beber realizamos el desfile y lanzamos fuegos artificiales. ❙ This is our second annual Fourth of July block party. This year thirty-three families came for beer, barbequed chicken, corn on the cob, potato salad, green salad, macaroni salad and watermelon. After eating and drinking we staged our parade and fireworks.

No creo que el hecho de que Richie juegue con armas tenga un efecto negativo en su personalidad. (Él ya quiere ser agente.) Tampoco le va a llevar a disparar a policías. Al jugar con armas aprende a socializarse con otros niños. Hay vecinos que están ofendidos por el arma de Richie, pero o el padre va a cazar o sus hijos le cogen a Richie el arma para jugar. ▮ I don't feel that Richie playing with guns will have a negative effect on his personality. (He already wants to be a policeman.) His childhood gun-playing won't make him into a cop-shooter. By playing with guns he learns to socialize with other children. I find the neighbors who are offended by Richie's gun, either the father hunts or their kids are the first to take Richie's gun and go off and play with it.

Cul-de-sac

¿HAY QUE QUEMAR LOS MEDIA?

Desde hace más de medio siglo los intelectuales han sostenido sin tregua un discurso hipercrítico sobre los medios de comunicación de masas, acusados de ser instrumentos de manipulación y alienación de esencia totalitaria.

La escuela de Francfort estigmatizó la industria cultural, que transforma la obra de arte en producto de consumo; vio en los *media* una fábrica de estereotipos cuya función era consolidar el conformismo, justificar el orden establecido, desarrollar la «falsa conciencia» y ahogar el espacio público de debate. Los situacionistas denunciaron una comunicación unilateral que quiebra la comunidad al aislar a los individuos. Control y manipulación de la opinión, estandarización del pensamiento y el gusto, descomposición del espacio público, atomización del ámbito social: el retrato dominante de los media vehicula la idea de su omnipotencia.

¿Se produce un recrudecimiento de la violencia? La culpa es de la «telematanza». ¿Baja el nivel escolar? La culpa es de las horas pasadas delante de la pantalla y del cretinismo de los programas. ¿Reaparece la xenofobia? No hay que invitar a los líderes de los partidos de extrema derecha al plató. ¿Dejan de ir a votar los electores? La causa es que los media les contaminan con programas de entretenimiento y transforman la política en espectáculo. El culpable es bien conocido; tenemos un nuevo demonio responsable de todos los males: los media.

La demonización, que parece repetir a veces una misma cantinela, no me parece fundada. Los media ejercen sobre la sociedad un poder que sería ridículo minimizar, pero no ejercen la totalidad del poder. ¿Cuál es exactamente el alcance de la influencia ejercida por los media sobre la opinión pública y el individuo? ¿Hasta qué punto han conseguido degradar el espacio público democrático? ¿Son los enemigos de la sociedad liberal? Me gustaría insistir en estas cuestiones que dan pie, demasiado a menudo, a análisis apocalípticos.

Masificación e individualización

¿Poder social de los media en materia de transformación de la forma de vida, el gusto y el comportamiento? Es un hecho difícil de cuestionar. Desde los años veinte del siglo pasado, la publicidad se ha dedicado a destrozar las costumbres locales y los comportamientos tradicionales, a inculcar las normas modernas del consumo, a propagar las leyes del confort, la juventud y la novedad. Desde los años cincuenta no deja de reconocerse una máquina estandarizadora que promueve una «felicidad conformada» materialista y mercantil. La prensa escrita diaria, la radio, el cine y la televisión han alcanzado un inmenso poder de uniformización del gusto y de las actitudes. Los *best-sellers*, los éxitos musicales, la idolatría de las estrellas, las modas, los éxitos del mes, la multiplicidad de fenómenos expresan la capacidad mediática de crear a gran escala una similitud emocional y de comportamientos. Hasta los gestos más cotidianos tienden a homogeneizarse. Millones de personas escuchan todos los días los mismos discos, ven las mismas series televisivas, los mismos anuncios. Los medios de comunicación se dirigen a individuos distintos, pero no funcionan sin un proceso de estandarización masiva de las maneras de vivir, los gustos y las prácticas. ¿Hace falta decir, como hacen algunos, que el poder de influencia y la masificación de los media nos transforma en los afortunados de Panurgia, en ciudadanos hipnotizados por los eslóganes, las imágenes y los espectáculos de la diversión programada?

Las imágenes publicitarias, las fotos de moda y la prensa femenina ilustran claramente esta influencia de los media sobre lo más íntimo, particularmente sobre todo aquello que se refiere al aspecto del cuerpo. Hay quien habla de una «tiranía» de la belleza ejercida por los media contemporáneos. Cuanto menos dirigista parece ser la moda, más se exaltan y enfatizan las normas de delgadez y juventud; cuanto más plural es la moda, más se convierte el cuerpo esbelto y firme en un ideal de consenso. Incluso si la estética de la «línea» no se explica tan sólo por las imágenes de las *top models*, es imposible no reconocer la implicación de los media en esta dinámica de normalización obsesiva del aspecto. El poder de los media coincide con la capacidad de imposición de modelos que, por el hecho de no ser obligatorios, no están menos dotados de una eficacia temible. De aquí las innumerables advertencias contra las amenazas de conformismo y despersonalización engendradas por los media en tanto que permiten, por hablar como Heidegger, al «"uno" desarrollar su dictadura característica».

La tesis de la masificación ha sido criticada por las sociologías que insisten en los condicionamientos de clase diferenciados y diferenciadores. Incluso si, en efecto, los media se dirigen a todo el mundo, no homogeneizan el cuerpo social más que la escuela, siendo los gustos y las prácticas ampliamente determinados por las culturas de clase y las luchas por los signos distintivos. A la mitología de la masa sin diferencia cabe oponer los estilos de vida de clase y clasistas, las costumbres diferentes, las luchas simbólicas entre clases. Esta crítica no deja de tener cierto fundamento. Únicamente no repara en lo que, a mi parecer, constituye la esencia de la obra de los media en las sociedades democráticas: su contribución al advenimiento histórico de una nueva cultura individualista.

Los media forman parte de las fuerzas que han favorecido la formidable dinámica de individualización de las formas de vida y los comportamientos de nuestra época. La prensa, el cine, la televisión y la publicidad han difundido por todo el cuerpo social las normas de la felicidad y el consumo privados, de la libertad plural, de las distracciones y los viajes, del placer erótico: la alegría íntima y el placer privado han llegado a ser ideales de masas exaltados sin tregua. Al sacralizar el derecho a la autonomía individual, promover la cultura relacional y celebrar el amor al cuerpo, los placeres y el bienestar privado, los media han sido agentes disolventes de la fuerza de las tradiciones y de la antigua estanqueidad entre clases, de las morales rigoristas y de las grandes ideologías políticas. Es el vivir aquí y ahora y según la propia voluntad que, impuesta como la nueva norma, legitima a la inmensa mayoría. Así, los media han arrastrado, junto con los «objetos», una dinámica de emancipación de los individuos respecto de las autoridades institucionalizadas y las constricciones de pertenencia. A partir de los años sesenta, las grandes instituciones colectivas han perdido buena parte de su poder regulador, y las mujeres, los jóvenes, las minorías sexuales, los ciudadanos, los creyentes se han liberado progresivamente de las formas de encaje social anteriores. El consumo y la comunicación de masas han puesto conjuntamente en órbita, desde hace medio siglo, la «segunda revolución individualista», marcada por el desmoronamiento de los grandes sistemas ideológicos, por la cultura del cuerpo, del hedonismo y del psicologismo, por el culto a la autonomía subjetiva. En este contexto, la conducta individual se encuentra cada vez menos condicionada socialmente, y las orientaciones y las formas de vida se componen y recomponen a través de una oferta creciente de todo tipo de marcas. Paradójicamente, el imperio del consumo y la comunicación de masas ha desembocado en un individuo desinstitucionalizado y selectivo que reivindica en todos los ámbitos el derecho a dirigirse a sí mismo.

Las técnicas de comunicación de masas también han favorecido, más «mecánicamente», las nuevas formas individuales de existencia. Así, la difusión doméstica de la televisión había acelerado la erosión de algunas formas de sociabilidad tradicional, como la vida de barrio, la calle y el café. La televisión ha puesto fin a la frecuentación asidua de la taberna de barrio por parte de los hombres y también ha afectado a las salas de cine. Los rituales del café y el cine han sido desplazados por el del telediario o el de la película televisada del domingo por la tarde. En Nochebuena ya no se va misa, se enciende la tele. El deporte se ve, asimismo, cada vez más por la pequeña pantalla. Los franceses dedican actualmente más tiempo al consumo audiovisual doméstico (tele, radio, discos) que al trabajo: cuarenta y tres horas a la semana de media para las personas que ejercen una actividad profesional. En todas partes, los sitios tradicionales de la sociabilidad (el trabajo, la iglesia, los sindicatos, los cafés) ceden terreno frente al universo privatizado del consumo de objetos, imágenes y sonidos.

Esta tendencia a la individualización crece con el multiequipamiento del domicilio en materia de receptores y cadenas de alta fidelidad, con el vídeo, los lectores de discos compactos, el cable, la multiplicación de cadenas, unas tecnologías que permiten una mayor individualización y desincronización de los usos y las prácticas, más posibilidades de escoger entre programas, de liberarse de las constricciones colectivas o semicolectivas (familia) del espacio-tiempo. Desde este punto de vista, y a pesar de sus bien conocidos límites, la fórmula de McLuhan —«el medio es el mensaje»— continúa siendo justa: con independencia de los programas emitidos, en las sociedades democráticas los media trabajan en la privatización de los comportamientos, en la individualización de las prácticas, en la preeminencia de lo individual sobre lo colectivo. Un individualismo desregulado, desincronizado, a la carta, favorecido ininterrumpidamente por una galaxia de massmedia.

Son conocidas las numerosas polémicas desatadas contra los media, acusados de embrutecer al individuo, de infantilizar al público, de atrofiar las facultades intelectuales en una riada de informaciones e imágenes superficiales, fragmentarias, puestas en escena para entretenernos. Los media, en particular la televisión, no han sido concebidos para educarnos y hacernos reflexionar, sino tan sólo para distraer y obtener la máxima audiencia. Nada más que tonterías, espectáculo, variedades, declaraciones que desfilan a toda velocidad e impiden toda reflexión: la duración media de un asunto en un noticiario televisado estadounidense es de cuarenta y cinco segundos. Hoy en día no hace falta ningún déspota para desposeer a los individuos de su autonomía, ya se encargan de ello los media con su tono jovial: así habría empezado la empresa de «devastación espiritual». Estas acusaciones no son objetables. Sin embargo, sólo son un aspecto de un fenómeno mucho más complejo.

A través de la información y el debate social, los media abren también, «mecánicamente», los horizontes del sujeto, permitiendo el acceso a una pluralidad de argumentos y de diferentes visiones. Los asuntos que afectan a la vida política, los problemas sociales, la cultura, la sanidad, son puestos al alcance de todos. Se convierten en bloques de saber a disposición de la mayoría, mediante los cuales los individuos están de ahora en adelante en condiciones de hacer *comparaciones* entre ellos y los otros, el aquí y el allá, el hoy y otro momento. Como amplificadores de comparaciones, los media trabajan para separar las conciencias de la influencia de la tradición y las culturas de grupo o de clase. Contribuyen, aunque sea de una manera muy imperfecta y desigual, a individualizar los juicios, a multiplicar los valores de referencia, a desfidelizar a los individuos respecto de los partidos políticos y las religiones, a emanciparlos de las ideologías monolíticas. Esto no hace desaparecer ni los conformismos ni los clichés, pero éstos se hacen menos rígidos, menos firmes, son cuestionados antes.

Al permitir la comparación, al informar al público con independencia de la autoridad del Estado, de un partido o de una religión, los media favorecen globalmente un uso creciente de la razón individual. Hasta sin haber grandes ideologías opositoras, el espíritu crítico no se desvanece, tiende a generalizarse, a impregnarse de todos los aspectos de la vida. Las críticas radicales desaparecen, las críticas y el rechazo parciales no cuentan. A largo plazo, el individuo tiene más posibilidades de reconsiderar las opiniones, de ejercer el libre examen, de distanciarse de las posiciones de la autoridad institucional. Lo superficial y lo lúdico mediático son, antes que su tumba, instrumentos de la Ilustración.

¿Y la cultura?

Es conveniente, sin embargo, evitar el triunfalismo. En primer lugar, esta difusión social de la «Ilustración» coexiste, como se sabe, con diversos fanatismos, con la multiplicación de sectas, creencias esotéricas y otros fundamentalismos. No son un «residuo» o la pervivencia de otra época; es la misma dinámica del neoindividualismo y de la fisuración de la capacidad de encaje de las grandes instituciones la que crea estos nuevos retos a la razón humanista.

Además, los media están bien lejos de satisfacer las promesas de una plena democratización de la cultura. Mientras que los programas literarios son televisados a horas tardías, el gusto del público se orienta masivamente hacia las telenovelas, los espectáculos deportivos o de variedades. Hace años que los índices de lectura han dejado de aumentar, uno de cada cuatro europeos no ha leído ningún libro durante los últimos doce meses, disminuye el núcleo de grandes lectores, los jóvenes se decantan por comprar CD o tarjetas telefónicas antes que por comprar libros, sus preferencias se inclinan más por los videojuegos, los chats y los deportes que por la lectura. A pesar del formidable crecimiento del número de estudiantes y profesores, la venta de libros de ciencias humanas y filosofía —salvo algunos *best-sellers*— no pasa, por término medio, de algún centenar de ejemplares: ¡un nivel idéntico al de finales del siglo XIX!

Hoy en día se habla del «retorno de la filosofía». Pero lo que promueve este fenómeno no es la pasión por las ideas y la verdad, sino una búsqueda difusa de «recetas» encaminadas al bienestar subjetivo. El libro y la cultura no mueren, pero ya no responden tanto a cuestiones teóricas como a cuestiones personales. El individuo no se esfuerza tanto en pensar y entender el mundo mejor como en vivir un poco más feliz ahora mismo: después de los pensadores radicales, los simpáticos «sanadores» de la existencia. Mejor que el Prozac, la filosofía tranquilizadora: algunos artículos de prensa han profundizado alegremente en esta vía celebrando el advenimiento, al fin, de una filosofía agradable, accesible, que ayuda a los individuos a resolver sus conflictos. ¿Se produce un retorno de la sabiduría? De ninguna manera. Tan sólo una nueva estrategia individualista y consumidora del ego dedicada a sufrir menos, a conocerse a uno mismo, a «poner en orden» sin esfuerzo ni disciplina los problemas, y que, para conseguirlo, busca muy pragmáticamente en alguna bibliografía lo que las «cosas» no le proporcionan. Lo que vuelve con fuerza no es la filosofía griega, sino el *homo consumans*, que triunfa al anexionarse un nuevo territorio hasta entonces exterior al *fast food*. El éxito de la filosofía refleja menos una búsqueda de sentido que la extensión de la lógica del consumo, menos una voluntad de inteligibilidad del mundo que la cura terapéutica del yo posmoderno, obsesionado por sus problemas íntimos y por su malestar.

En términos más generales, los «compendios», los libros prácticos, las guías de todo tipo, las obras útiles para la actividad profesional invaden las librerías. Los libros se convierten cada vez más en objeto de un uso utilitario, tanto en relación con la actividad profesional como con la vida cotidiana. Cómo envejecer mejor, dormir mejor, relajarse mejor, habitar la casa (*feng shui*) o comer mejor. El individuo posmoderno quiere soluciones eficaces, técnicas en las diversas cuestiones de la vida. Lo que gana no es la pasión por el pensamiento sino la exigencia de saberes e informaciones inmediatamente operativos.

La pérdida del aura de la cultura, el *hit parade* de pensadores y de libros, los programas espectáculo, los libros *kleenex*, el estancamiento de la lectura, las modas filosóficas, etc. Todos estos fenómenos no son sinónimo de un fracaso del pensamiento y no se pueden poner en un mismo plano. Y, si bien los media no son, evidentemente, ajenos a esta evolución, no se les ha de culpar de todo, ya que toda nuestra civilización tecnocientífica, operacionalista, consumista e individualista se orienta en este sentido.

Los media y el individualismo paradójico

Hay un individualismo paradójico que acompaña al universo contemporáneo de los media. La cultura posmoderna ensalza la calidad de vida, al mismo tiempo que el sujeto continúa «enganchado» a la pantalla del televisor, incluso cuando los programas sólo proporcionan escasa satisfacción; coloca en un pedestal a la iniciativa y a la autonomía, pero muy pocos telespectadores deciden previamente el programa que van a ver: uno de cada dos enciende el aparato de televisión sin conocer la programación. El consumo televisivo parece más una costumbre que la expresión de una elección individual deliberada. Así, el telespectador posmoderno no se identifica ni con el hombre estandarizado de la multitud ni con el individuo soberano; es el individuo del *zapping*, inconstante: casi la mitad de los jóvenes de entre 20 y 24 años siguen en ocasiones diversas emisiones a la vez. De aquí que los peligros anunciados ya no apunten a la manipulación, la masificación, el adoctrinamiento, sino que más bien se encarnan en el desarrollo de prácticas adictivas, cibercompulsiones y otros usos inmoderados o incontrolables. Los media han favorecido el desarrollo de la autonomía del individuo, ahora prisionero de nuevas dependencias.

Si bien los media actúan como instrumentos de estimulación y legitimación hedonistas, paralelamente contribuyen a destilar un estado de inseguridad, a amplificar los miedos cotidianos: el miedo alimentario, el miedo a los virus, a la pedofilia, al exceso de peso, a la violencia urbana, a la contaminación, casi todo tiende hoy en día a caer en el régimen de la fobia. El individuo liberado de la sumisión al colectivo se encuentra cada vez más esclavizado por el horror y la angustia. Esta nueva imagen del individuo amenazado no se puede separar del mundo de los media. Por medio de éstos se produce el conocimiento de los nuevos riesgos; constituyen, a causa de su sensacionalismo, formidables cajas de resonancia de los peligros que amenazan la existencia. Por un lado, los media se mueven hacia el juego y la ligereza que distrae; por el otro, no paran de intensificar las imágenes de un mundo plagado de catástrofes y peligros.

Desde un cierto punto de vista, los media se presentan como instrumentos de emocionalismo «irracional» que exageran los nuevos peligros. Desde otro punto de vista, los podemos analizar como lo que anima a los individuos a reaccionar, a protestar, es decir, a ser actores en un mundo del que se les escapa lo que realmente está en juego. Se ha dicho repetidamente que los media convierten a los ciudadanos en seres pasivos. Cabe destacar que también crean una situación que permite a los individuos discutir sobre la realidad, tomar partido, exigir mayor control, medidas de prevención y «precaución». Gracias al sensacionalismo de los media avanza la estratagema de la razón individualista por mucho que se acentúen las reacciones de indignación, que hagan recular la tradicional alma fatalista y que hagan posibles las movilizaciones y protestas de consumidores y ciudadanos.

Sin embargo, hay que añadir que la capacidad de los media de generar ansiedad o pánico está bien lejos de ser sistemática. Así, a pesar de los reportajes «trágicos» y las innumerables campañas de sensibilización y prevención, los miles de muertos y heridos causados por los accidentes automovilísticos continúan sin tener una gran incidencia en el público. Sobrevalorando su capacidad, los conductores se sienten escasamente aludidos por el peligro, como si el accidente sólo amenazase a los demás. El mismo sentimiento de invulnerabilidad se encuentra entre los jóvenes consumidores de tabaco. Si bien este miedo de geometría variable se puede interpretar como una cierta forma de irresponsabilidad por parte de los actores individuales, también revela igualmente los límites del poder de los media a la hora de influir en las conductas individuales y transformarlas.

Gilles Lipovetsky, filósofo y profesor de la Universidad de Grenoble, es autor de *El crepúsculo del deber: la ética indolora de los nuevos tiempos democráticos* (Anagrama, 2001), *La era del vacío: ensayos sobre el individualismo contemporáneo* (Anagrama, 2002), *El imperio de lo efímero: la moda y su destino en las sociedades modernas* (Anagrama, 2002) y *La tercera mujer: permanencia y revolución de lo femenino* (Anagrama, 2002). El texto que se presenta aquí fue leído en un seminario con motivo de la concesión en 2001 del título de doctor *honoris causa* por la Universidad de Sherbrooke en Canadá.

BURN THE MEDIA?

For over half a century now, intellectuals have maintained a constant hypercritical discourse on the mass media, accusing them of being the essentially totalitarian instruments of manipulation and alienation.

The Frankfurt School stigmatised the culture industry that turns the work of art into a consumer product; in the media it saw a production line of stereotypes with the function of consolidating conformism, justifying the established order, developing a 'false conscience' and stifling public discussion space. The situationists denounced the one-way communication that breaks up the community by isolating individuals. Control and manipulation of opinion, standardisation of thought and tastes, disintegration of the public space, atomisation of the social — the dominant portrayal of the media conveys the idea of their omnipotence.

There's an upsurge in violence — that's the fault of the coverage given to the latest killings. Education standards are slipping — that's the fault of hours spent in front of the small screen and the cretinism of the programmes. Xenophobia is resurfacing — extreme right-wing party leaders shouldn't be allowed on television. Voters are deserting the ballot boxes — that's because the media benumb them with light entertainment and turn politics into show time. It is quite plain who the guilty party is; we have a new devil responsible for all our evils: the media.

This demonisation sounds like a knee-jerk reaction at times, and seems unfounded to me. The media have a power over society which it would be ridiculous to play down, but omnipotent they are not. Just how much influence do the media exert on public opinion and the individual? To what extent have they managed to degrade the democratic public space? Are they the enemy of liberal society? I would like to go back and look at these questions which, to my mind, all too often give rise to apocalyptic analyses.

Massification and individualisation

The media have the social power to transform lifestyles, tastes and behaviour. This is a difficult fact to dispute. Ever since the 1920s, advertising has been used to destroy local customs and traditional behaviour, to inculcate modern patterns of consumption and propagate those of comfort, youth and novelty. Since the 1950s, it has been recognised as a standardising machine that promotes a materialist, market-regulated 'conforming happiness'. Likewise, the press and the radio, the cinema and television have acquired an immense power to standardise tastes and attitudes. Best-sellers, hit songs, hero-worship, fashion crazes and flavours of the month are among the phenomena that reflect the media's capacity to create emotional and behavioural similarity on a large scale. Even the most everyday activities are becoming homogenised. Every day, millions and millions of people listen to the same records, watch the same soap operas, see the same adverts. The media are aimed at dissimilar individuals but they involve a process of mass standardisation of lifestyles, tastes and practices. Is it fair to say, as some do, that the media's power of conditioning and massification turns us into sheep, citizens who are hypnotised by the slogans, images and spectacle of programmed entertainment?

Advertising images, fashion photographs and women's magazines are highly illustrative of the hold the media has over the most intimate areas of our lives, particularly anything related to the appearance of the body. Some refer to this as the 'tyranny' of beauty exercised by the contemporary media. The less *dirigiste* the fashions, the more the values of thinness and youth are exalted and overexposed; the more plural the fashions, the more a slim firm body becomes a consensual ideal. Even if the aesthetic of the fashionable figure cannot be explained only by images of top models, it is impossible not to recognise the media's part in the dynamics of this obsessive normalisation of appearance. The power of the media coincides with the capacity to impose models which, despite not being obligatory, are none the less tremendously effective. Hence the countless warnings against the threat of conformism and depersonalisation engendered by the media in so far as, to speak like Heidegger, they allow ' "one" to unfold one's specific character of domination'.

The thesis of massification has been criticised by strains of sociology that insist on differentiated and differentiating class conditioning. Even if the media are directed at everyone, they have no more of a homogenising effect on the body social than school does, as tastes and practices remain broadly determined by class cultures and the struggle for distinctive signs. We have to contrast the myth of the undifferentiated masses with class and classist lifestyles, different habits, symbolic class struggles. These critiques are indeed founded, yet they fail to address what, to my eyes, constitutes the essential point of the work of the media in democratic societies, namely their contribution to the historic advent of a new culture of the individual.

The media form part of the forces underlying the formidable dynamic of the individualisation of lifestyles and behaviour in our time. Throughout the body social, the press and the cinema, television and advertising have spread the norms of private happiness and consumption, of individual freedom, of pastimes and travel, of erotic pleasure: intimate enjoyment and private pleasure have become endlessly exalted mass ideals. By sacralising the right to individual autonomy, by promoting a relational culture, by celebrating love of the body, pleasure and private happiness, the media have become the agents of dissolution of the force of tradition and hitherto insuperable barriers of class, rigid morals and major political ideologies. Living here and now according to one's own desires is the new norm to have been imposed and legitimise the vast majority. In this way, together with their 'objects', the media have brought in a dynamic of emancipation of individuals from institutionalised authorities and the constrictions of belonging. Since the 1960s, the grat social institutions have lost much of their power to regulate; women, young people, sexual minorities, citizens and believers have gradually freed themselves of existing social forms of classification. Over the last fifty years, consumption and mass communication have launched the 'second individualist revolution' marked by the failure of the major ideological systems, by the culture of the body, of hedonism and psychologism, by the cult of subjective autonomy. In this context, individual forms of behaviour are less and less socially constrained, with individuals having the latitude to compose and recompose their orientations and lifestyles in terms of a growing supply of miscellaneous reference points. Paradoxically, the empire of consumption and mass communication has produced de-institutionalised, selective individuals, calling for the right to determine their own direction in every field.

The techniques of mass communication have also, more 'mechanically', furthered new individualistic lifestyles. Thus the widespread entry of television into the home has accelerated the erosion of certain forms of traditional sociability such as neighbourhood, street or local bar life. The television has put an end to men's regular visits to their local bar, just as it has caused a fall in cinema attendance. Café and cinema rituals have been replaced by the evening news and the Sunday evening film on TV. Instead of going to midnight mass on Christmas Eve, people switch on the television. Likewise, sport is increasingly watched on the small screen. The French now devote more time to audiovisual consumption in the home (television, radio, records) than to professional activity: an average of forty-three hours a week for people in work. All around, traditional places of sociability (work, church, unions, cafés) are losing ground to the privatised universe of the consumption of objects, images and sounds.

This tendency to individualisation continues to grow as homes are fitted out with televisions and music systems, with video recorders, CD players, cable TV and more and more TV channels, all technologies that allow for greater individualisation of use, increased desynchronisation of practices and more opportunities for individuals to select their programmes and shake off the collective or semi-collective (family) restraints of time and space. In this respect, despite its well-known limits, McLuhan's formula — 'the medium is the message' — still holds true: irrespective of the programmes broadcast, in democratic societies the media work to privatise behaviour, individualise practices and prioritise the individual over the collective. This is a deregulated, desynchronised, à la carte individualism which is constantly promoted by a galaxy of mass media.

The many charges laid against the media are well known; they are accused of benumbing the individual, treating the public like children, atrophying our intellectual faculties with a flow of superficial, fragmentary information and images which are staged to keep us entertained. Thus the media and the television in particular are not there to educate us and make us think, but simply to entertain us and get the highest ratings. Nothing but nonsense, shows, entertainment, ramblings that flash past and preclude any real kind of reflection: the average duration of a subject in a North American news bulletin is forty-five seconds. These days it doesn't take a despot to divest individuals of their autonomy — now the media take care of that with their amiable approach: operation 'spiritual devastation' has now begun. All of these accusations are admissible. Nonetheless, they are just part of a far more complex phenomenon.

By means of information and social debates, the media also 'mechanically' open the individual's horizons, offering different points of view, giving different angles. The issues that affect political life, social problems, culture and health are at the disposal of all, bodies of knowledge are made available to the majority, by means of which individuals are henceforth in a position to make *comparisons* between themselves and others, here and there, now and then. The media, amplifiers of comparisons, work to separate consciousness from the influence of traditions and group or class cultures; they contribute, albeit very imperfectly and very unequally, to individualising judgements, multiplying points of reference, weaning individuals away from political parties and churches, and releasing them from monolithic ideologies. This does not mean the end of conformism or clichés but they do become less rigid, less immovable, and easier to question.

Because they allow comparison, because they inform the public independently of the authority of the state, of a party or a church, the media generally further a growing use of individual reason. Even without major oppositional ideologies, the critical spirit does not fade away, it tends to become generalised, infiltrating every aspect of life. Radical critique disappears, partial critiques and refusals no longer count. In the long term, individuals have more opportunity to reconsider their opinions, effect a free examination, distance themselves from the positions of institutional authorities. The superficial and the ludic-mediatic are the instruments of the enlightenment rather than its shroud.

What about culture?

There is, however, no call for triumphalism. First of all, this social diffusion of the 'enlightenment' coexists, as we know, with various forms of fanaticism, the proliferation of sects, esoteric beliefs and other fundamentalisms. They are not a 'residue' or a relic of another age: they are the very dynamic of neo-individualism and of the undermining of institutions' capacity to bring individuals into line, which present these new challenges to humanist reason.

Then the media are very far from satisfying the promise of full democratisation of culture. Literary programmes occupy late-night slots, while the vast majority of the public prefer soap operas, sporting events and light entertainment. Reading figures have been at a standstill for years; one in every four Europeans has not read a book in the last twelve months; the hardcore of avid readers is shrinking; youngsters prefer to spend their pocket money on CD or phone cards than on books, and their preferences run more to video games, chats and sport than reading. Despite the tremendous growth in the number of students and teachers, sales of books dealing with the human sciences and philosophy, with the exception of a few best-sellers, total on average a few hundred copies — just as they did at the end of the nineteenth century!

There is talk today of the 'return of philosophy', but it is less a passion for ideas and truth that underlies this pheno-menon than a vague search for 'recipes' for subjective wellbeing. Books and culture are not dying, but they respond more to personal than to theoretical questions. Individuals seek not so much to think more and to understand the world as to live a little more happily right now: first radical thinkers, now friendly 'healers' of existence. Better than Prozac, a tranquillising philosophy: some sectors of the press have gaily adopted this path, hailing the advent, at last, of an agreeable, accessible philosophy that helps individuals to solve their conflicts. A return of wisdom? Not at all. Just a new individualistic, consumerist strategy of the ego geared to suffering less, understanding oneself better and 'sorting out' one's problems effortlessly and without discipline, and which, in order to do so, turns very pragmatically to books for what 'things' do not provide. This is not Greek philosophy making a comeback, it is *homo consumans* triumphing as he annexes a new territory, until now beyond the limits of fast food. The success of philosophy is not so much a quest for meaning as the extension of the logic of consumption, not so much a desire for the intelligibility of the world as the therapeutic care of the post-modern self obsessed with its intimate problems and malaise.

More generally, bookshops are being invaded by 'compendiums', do-it-yourself books, guides of every kind, works of professional self-help. More and more, books are objects of utilitarian use, related to both professional activity and everyday life. How to age better, sleep better, relax better, live in your house better (feng shui), eat better — the post-modern individual wants effective, technical solutions to the various questions of life. It is not the passion for thought that is gaining ground as much as the demand for immediately applicable knowledge and information.

The disappearance of the aura of culture, a 'top ten' of thinkers and writers, entertainment shows, instantly disposable books, the stagnation of reading, philosophical and other fashions: these phenomena are not synonyms of a failure of thought and should not be placed on the same level. And while the media are, evidently, not unrelated to these evolutions, they cannot be blamed for everything, since our entire techno-scientific, operationalist, consumerist and individualist civilisation is heading in this direction.

Media and paradoxical individualism

The contemporary world of the media is accompanied by a paradoxical individualism. Post-modern culture exalts quality of life, but at the same time individuals are still 'glued' to their television sets, even when the programmes offer only the slightest satisfaction; it places initiative and autonomy on a pedestal, but only one viewer in five decides in advance which programme to watch, and one in two switches the television on without consulting the programme guide. Television consumption is a habit rather than the expression of a considered individual choice. In this way, the post-modern viewer does not identify with either the average man in the street or with the sovereign individual; he is the vacillating zapper: almost half of 20-24 year-olds sometimes watch several programmes at once. Hence these foretold menaces no longer indicate manipulation, massification or indoctrination; they form an integral part of the development of addictive practices, cybercompulsions and other immoderate or uncontrolled uses. The media have furthered the autonomy of the individual, now the prisoner of new dependencies.

While the media function as instruments of hedonistic stimulation and legitimisation, they also contribute to distilling a state of insecurity, to heightening everyday fears: the fear of what we eat, the fear of viruses, of paedophilia, of being overweight, of urban violence, of pollution — today practically everything is prey to phobias. The individual freed from submission to the collective is increasingly enslaved by the power of terror and anxiety. This new figure of the threatened individual cannot be taken in isolation from the world of the media. It is by means of the media that we become aware of new risks around us; their sensationalism makes them formidable sounding boards of the dangers that threaten our existence. On the one hand, the media are moving towards amusement and entertaining super-ficiality; on the other, they merely serve to intensify images of a world full of catastrophe and peril.

From a certain angle, the media can be seen as instruments of 'irrational' emotionalism that exaggerate new dangers. From another, we can see them as prompting individuals to react, to protest — that is, to become actors in a world where the big issues are beyond their control. It is repeatedly said that the media make people passive. Yet it must be said that they also create a situation that allows individuals to question the status quo, to take a stand, to call for more control and measures of prevention and 'precaution'. It is media sensationalism that advances the stratagem of individualistic reason, despite accentuating reactions of indignation, forcing back the traditional spirit of fatalism, making it possible for consumers and citizens to mobilise and protest.

It is however important to add that the media's capacity to generate anxiety or panic is far from symmetrical. Thus, in spite of 'tragic' news reports and countless public awareness and prevention campaigns, the thousands killed and injured in car accidents still fail to have much of an impact on the public. Drivers, overestimating their own skill, feel immune to danger, as though accidents were only a threat for others. The same feeling of invulnerability is found among young consumers of tobacco. While this fear with its variable geometry can be interpreted as a form of irresponsibility on the part of individual actors, it also reveals the limits of the media's power to influence and transform individual behaviour.

Gilles Lipovetsky, philosopher and lecturer at the University of Grenoble, is the author of *Le crépuscule du devoir* (Broché, 1992), *L'Ere du vide. Essais sur l'individualisme contemporain* (Folio, 1989), *L'empire de l'éphémère* (Broché, 2002) and *La troisième femme* (Broché, 1997). The text presented here was read at a seminar on the occasion of his being awarded the title of Doctor *honoris causa* by the University of Sherbrooke, Canada, in 2001.

WELCOME UTOPIA

JORDI BERNADÓ

Utopia, Texas

Barcelona (Nueva York) atravesada por la imagen inconsciente de Barcelona (Cataluña). La asociación de los topónimos provoca inevitablemente una comparación insólita, una reverberación transatlántica. La lectura de los espacios apenas urbanos de los parises del Far West construye un relato heterotópico que en cada rótulo de comercio y en cada fachada desata una paradoja. En cierto modo, más que una ridiculización lo que se da es un proceso de reducción: comparadas con sus homónimas estas poblaciones se minimizan exageradamente hasta convertirse en versiones pueriles de aquellas otras.

También podría entenderse, sin embargo, que más que una visión irónica representan una versión sintética: que, en definitiva, ese breve paisaje urbano en el que apenas cabe una valla publicitaria, una señal de tráfico, un edificio *kitsch* y el reflejo de la televisión tras los visillos, resume el paisaje al que tienden las ciudades milenarias. Ver Roma (Texas) desde la perspectiva de Roma (Italia) hace gracia; ver Roma (Italia) desde la perspectiva de Roma (Texas) produce escalofríos. Y si la comparación de la París tejana con la París francesa no se produce en su centro histórico, sino en algún barrio más reciente, tal vez un nuevo surburbio burgués de casas unifamiliares con jardín y enanos en la puerta, en ese caso, lo que se produce es una total confusión. ▌ Barcelona (New York) permeated by the unconscious image of Barcelona (Catalonia). The association of the place names leads inevitably to an unusual comparison, a transatlantic reverberation. A reading of the barely urban spaces of far-western Parises constructs a heterotopic narrative that unleashes a paradox in every shop sign and every facade. Somehow or other, what takes place is a process of reduction rather than ridicule: compared with their homonyms, these towns are minimised to an exaggerated extent, to the point of becoming puerile versions of their counterparts.

Yet rather than an ironic view, they might be seen to represent a synthesised version: that these condensed urban landscapes scarcely big enough for an advertising hoarding, a traffic signal, a kitsch building and the flicker of a television behind the net curtains summarise the landscape towards which age-old cities tend. To look at Rome (Texas) from the viewpoint of Rome (Italy) is amusing; to look at Rome (Italy) from the viewpoint of Rome (Texas) is unnerving. And if a comparison of the Texan Paris with the French Paris is based not on its historic centre but on a more recent neighbourhood — perhaps a new middle-class suburb of detached family homes with gardens and gnomes by the door — the result is total confusion. / Q

Jordi Bernadó (Lleida, 1966) es fotógrafo. Su obra desarrolla una visión crítica e irónica de la ciudad contemporánea. Utiliza siempre el formato panorámico para captar paisajes complejos, tanto interiores como exteriores, en los que la realidad roza el simulacro y la simulación penetra en la realidad. Sus trabajos han sido recogidos de forma monográfica en los libros *Good News* (Actar, 1999), *Charcos - Puddles* (Actar, 2001) y *Very Very Bad News* (Actar, 2002). El proyecto *Welcome Utopia* forma parte del ciclo Ficcions comisariado por Pepa Palomar y María José Balcells para la Fundación La Caixa y expuesto en la sala Montcada de Barcelona en otoño de 2002. ▌ Jordi Bernadó (Lleida, 1966) is a photographer. His work centres on a critical, ironic view of the contemporary city. He uses the panoramic format to capture complex landscapes, both interior and exterior, in which reality borders on simulacrum and simulation penetrates into reality. His work has been published in the monographics *Good News* (Actar, 1999), *Charcos - Puddles* (Actar, 2001) and *Very Very Bad News* (Actar, 2002). *Welcome Utopia* forms part of the 'Fictions' cycle curated by Pepa Palomar and María José Balcells for the Fundació La Caixa, which was presented at the Galeria Montcada in Barcelona in autumn 2002.

Utopia, Texas

Barcelona, New York

Barcelona, New York

Jordi Bernadó

Paris, Illinois

Paris, Texas

Paris, Illinois

Paris, Illinois

Jordi Bernadó

Rome, Illinois

Athens, Texas

Palestine, Texas

Bagdad, Pennsylvania

Jordi Bernadó

Manhattan, Illinois

Manhattan, New York

Pekin, Illinois

Happy, Texas

Jordi Bernadó

Love, Texas

Paradise, Texas

387 MAQUETAS

Peter Fritz / Oliver Croÿ

387 MODELS

El artista vienés Oliver Croÿ descubrió en una tienda de curiosidades en 1993 trescientas ochenta y siete maquetas y alrededor de tres mil diapositivas guardadas en bolsas de basura, y las compró por quinientos euros. En las diapositivas se veía a un hombre grueso en diferentes lugares de Austria, más o menos turísticos, mientras que las maquetas correspondían a edificios, principalmente casas, todos ellos diferentes entre sí. Después de algunas investigaciones, Croÿ averiguó que se trataba de la obra de Peter Fritz,

un discreto empleado de una compañia de seguros, fallecido un año antes, que se había dedicado en su tiempo libre y durante más de dos décadas a construir con cartón, papel de pared, recortes de revistas, adhesivos o paquetes de cigarrillos, una versión hilarante y *kitsch* de la arquitectura austríaca de los años 50 y 60. ❙ In 1993, in a second-hand shop, Viennese artist Oliver Croÿ came across three hundred and eighty-seven models and some three thousand slides packed in dustbin bags, and bought them for five hundred euros. The

slides showed a thick-set man in more or less touristic locations around Austria, and the models were of buildings, mainly houses, all of them different. After some research, Croÿ found out that they were the work of Peter Fritz, a modest insurance clerk who had died the previous year; for over twenty years, he had spent his free time using card, wallpaper, pictures cut out of magazines, glue and cigarette packets to construct a hilarious, kitsch version of the Austrian architecture of the fifties and sixties.

LUGARES INTERMEDIOS

Javier Vallhonrat

«Lugares intermedios» utiliza la iconografía cotidiana de la vivienda unifamiliar, explorando simultáneamente ciertos usos de la imagen fotográfica de tipo documental, así como aspectos autorreferenciales de la representación fotográfica.

Las representaciones de espacios arquitectónicos, sean éstas fotográficas o no, me invitan siempre al dominio de la memoria, de lo emocional y lo subconsciente.

Estas arquitecturas, ubicadas en terrenos marginales o en espacios naturales modificados mecánicamente, son elaboradas en forma de maquetas y fotografiadas utilizando modelos icónicos híbridos: imágenes anticipadoras de filmes de Tim Burton o Steven Spielberg, catálogos del mercado inmobiliario o ciertas imágenes de publicaciones infantiles, se superponen configurando un clima de anticipación y simulacro.

Las maquetas axonométricas son creadas a partir de un desarrollo anamórfico: son objetos caóticos cuyo único orden posible existe a través de su realidad como imagen.

En este ordenamiento puramente virtual, el dominio del espacio es ficticio: la posible circulación por estos espacios se percibe laberínticamente fragmentada.

«Lugares intermedios», serie de simulacros que revisa los mitos de veracidad y transparencia sobre los que se basa el poder de las imágenes producidas tecnológicamente hoy desplazados por las ideas de verosimilitud y virtualidad, es a la vez un trabajo de confrontación de las imágenes con sus propias condiciones materiales.

INTERMEDIATE PLACES

'Intermediate places' utilises the everyday iconography of the single-family house, simultaneously exploring certain uses of the documentary photographic image and self-referential aspects of photographic representation.

The representation of architectural spaces, photographic or otherwise, always beckons me towards the realm of memory, of the emotional and the subconscious.

These architectures, located on borderline terrains or in mechanically modified natural spaces, are created in the form of models and photographed using hybrid iconic models: images suggesting the films of Tim Burton or Steven Spielberg or illustrations taken from real-estate catalogues or children's publications are superposed to configure a climate of anticipation and simulacrum.

The axonometric projections are created by means of an anamorphic procedure: they are chaotic objects whose only possible order exists by way of their reality as images.

In this purely virtual ordering, the mastery of space is fictitious: any possible circulation around these spaces is perceived as labyrinthically fragmented.

'Intermediate places' is a series of simulacra that reappraises the myths of veracity and transparency as the basis for the power of those technologically produced images now displaced by the ideas of verisimilitude and virtuality; it is also a work that confronts images with their own material conditions.

Javier Vallhonrat (Madrid, 1953) es fotógrafo. Entre sus trabajos destacamos *Lugares intermedios* (1999), *Cajas* (1998), *Objetos precarios* (1994) y *Autogramas* (1993). Su obra recibió en 1995 el Premio Nacional de Fotografía. En la actualidad imparte clases de fotografía en la Facultad de Bellas Artes de Cuenca. ▌ Javier Vallhonrat (Madrid, 1953) is a photographer. His work includes *Lugares intermedios* (1999), *Cajas* (1998), *Objetos precarios* (1994) and *Autogramas* (1993). In 1995 he was awarded the Spanish National Photography Prize for his work. He currently gives classes in photography at the Faculty of Fine Arts in Cuenca.

Imágenes cortesía de · Images courtesy of: Javier Vallhonrat; Galería Helga de Alvear, Madrid

SUBURBIA I

Kendell Geers

Las fotografías están tomadas en Johannesburgo en 1999. Quería capturar un momento preciso porque este tipo de signos y medidas cambian con la propia idea de seguridad. Me interesaba la manera en que se crea una imagen, una señal o una estructura que significa «prohibido el paso» o «no entrar». Estos sistemas hacen que la casa suburbana parezca segura, pero también transforman la idílica casa con jardín en una prisión. La serie alude obviamente a la serie de Dan Graham *Casas para América*: me parecía interesante observar cómo dos generaciones distintas, en continentes y momentos históricos diferentes, construían dos versiones de un mismo tema. ❚ The images are all photographs I took in Johannesburg in 1999. I wanted to capture a moment in time because these kinds of signs and security measures change as the idea of security changes. I was interested to know how one creates an image or a sign or a structure that means 'keep out' or 'stay away'. On the other hand, as much as these systems also make the suburban home seem safe they also inevitably transform the idyllic suburban home into a jail. The series obviously refers to Dan Graham's *Homes for America* series and I was curious how the shift in time, continent and generation results in a different construction of the same subject. / KENDELL GEERS

Kendell Geers (Johannesburgo, 1968) desarrolla su obra en medios como la fotografía, la instalación o la escultura. Entre sus trabajos destacan *Rogue States* (Stephen Friedman Gallery, Londres, 2003), *Grenzgänger* (Galerie Luis Campana, Colonia, 2002) y *Ex Africa Semper Aliquid Novi* (Marian Goodman Gallery, París, 2000). Su trabajo artístico también ha sido presentado recientemente en Documenta 11 (Kassel, 2002), Palais de Tokio (París, 2002), INOVA (Milwaukee, 2000) y ARCO (Madrid, 1999). ❚ Kendell Geers (Johannesburg, 1968) develops his work using media such as photography, installation and sculpture. Outstanding works of his include *Rogue States* (Stephen Friedman Gallery, London, 2003), *Grenzgänger* (Galerie Luis Campana, Cologne, 2002) and *Ex Africa Semper Aliquid Novi* (Marian Goodman Gallery, Paris, 2000). His artistic work has also been presented recently at Documenta 11 (Kassel, 2002), the Palais de Tokyo (Paris, 2002), INOVA (Milwaukee, 2000) and ARCO (Madrid, 1999).

PROTECT·O·LARN

A.C.A. SECURITY

☎ 725-6604/8
402-8422/6
RADIO PAGE 331-3561 CODE 693/2
24 hrs Service

DANGER

PROTECTED BY:

PSM

24-HOUR EFFECTIVE ON LINE
ARMED RESPONSE

Tel: 483-2609

DANGER GEVAAR INGOZI

CRIMINALS BEWARE
24 Hr Patrols &
Armed Response
Residents Buckingham
Road Anti-Crime

SUPPLIED & ERECTED BY:
FENCE S.A.
786-6334

BEDFORD
PATROLS

DOUBLE PROTECTION

ARMED
REACTION
455-3645

WARNING

Chubb

ARMED RESPONSE

(011) 455-3645

TRESPASSERS WILL BE PROSECUTED

BGA
Burglar
Guard
Alarms
834-2586

GEVAAR
ELEKTRIFISEER

SHOGUN
SECURITY SYSTEMS

312-0582

WARNING

Chubb

ARMED RESPONSE

(011) 356-6911

TRESPASSERS WILL BE PROSECUTED

Reaction to ensure your safety

BBR
Reaksie
Reaction

764-4720 • 764-4724

Reaksie om u veiligheid te verseker

SCANSCAPE

No puedes cometer crímenes si sabes que te vigila el Gran Hermano.
Propietario de una parcela en Hollywood (1994)

¿Es necesario explicar por qué el miedo corroe el alma de Los Ángeles? Sólo el terror de la clase media a un sistema fiscal progresivo supera la obsesión actual por la seguridad personal y el aislamiento social. Si bien no hay soluciones para la pobreza urbana y la situación de los sin techo, y pese a que Los Ángeles ha vivido una de las mayores expansiones económicas en la historia de Norteamérica, existe un consenso político sobre la importancia del equilibrio presupuestario y la reducción de los subsidios sociales. Habiendo perdido la esperanza de que una mayor inversión pública mejore las precarias condiciones sociales, nos vemos forzados a invertir en seguridad el dinero público y los capitales privados. La retórica de la reforma urbana persiste, pero su sentido se ha perdido. «Reconstruir Los Ángeles» sencillamente significa aterciopelar el búnker.

A medida que la vida en la ciudad se vuelve más salvaje, los diferentes entornos sociales adoptan estrategias y tecnologías de seguridad de acuerdo con sus posibilidades. Como en la diana de Burgess [figura 1, página 57], el modelo se configura como una serie de zonas concéntricas cuyo centro es el *downtown*. Estas medidas de seguridad son una reacción a los conflictos y el malestar urbano, por lo que es posible hablar de una «tectónica del conflicto» que periódicamente convulsiona el espacio urbano y le da forma. Después de la rebelión de Watts de 1965, por ejemplo, los principales propietarios inmobiliarios del *downtown* organizaron en secreto un «Comité de 25» para enfrentarse a las amenazas contra su proyecto de reurbanización del centro. Tras haber sido advertidos por la policía de que era inminente una «ocupación» negra del centro de la ciudad, el comité abandonó el proyecto de revitalización. Convencieron a la alcaldía para que, en lugar de ello, subvencionara el traslado de los bancos y las oficinas corporativas a un nuevo distrito financiero en Bunker Hill, a unas manzanas hacia el oeste. La agencia pública de desarrollo de la ciudad, actuando como un promotor privado, compensó las pérdidas de los miembros del comité en el viejo centro ofreciéndoles parcelas en el nuevo distrito financiero muy por debajo del valor inmobiliario. La clave del éxito de esta estrategia, descrita como el «renacimiento» del *downtown*, fue la segregación física del nuevo centro, salvaguardando su valor inmobiliario, tras una muralla de barreras a distintos niveles, estructuras de hormigón y muros de autopista. Se eliminaron las conexiones tradicionales a pie entre Bunker Hill y el antiguo centro, y los recorridos se elevaron por encima de las calles mediante pasarelas peatonales, a la manera de la Titan City de Hugh Ferriss, en la que el acceso a la ciudad era controlado por los sistemas de seguridad de los rascacielos. La privatización radical del espacio público del *downtown*, con su siniestro trasfondo racial, se dio sin un debate público significativo.

Los disturbios de 1992 dieron la razón a los diseñadores de la fortaleza del *downtown*. Mientras se destrozaban las ventanas del antiguo distrito financiero, Bunker Hill hizo honor a su nombre. Pulsando unos pocos interruptores de los paneles de control, los responsables de seguridad de las grandes torres de los bancos fueron capaces de cortar los accesos a sus valiosas propiedades urbanas. Las puertas de acero a prueba de balas se deslizaron sobre las entradas a pie de calle, las escaleras mecánicas se pararon automáticamente, y los cierres electrónicos dejaron selladas las pasarelas peatonales. Tal como señaló *Los Angeles Business Journal*: «el probado éxito de las defensas antidisturbios del *downtown* no ha hecho más que estimular la demanda de nuevos y más altos niveles de seguridad».

Una consecuencia de esta demanda ha sido la erosión continuada de la frontera entre la arquitectura y la imposición de la ley. La policía se ha convertido en un actor principal del proceso de diseño del *downtown*. En la actualidad, ningún proyecto importante puede llevarse a cabo sin su participación. Los representantes de la policía han ejercido una presión significativa contra la construcción de lavabos públicos (en su opinión «escenarios del crimen») y sobre los vendedores callejeros («informadores de los traficantes de droga»). Los disturbios han proporcionado al departamento de policía un pretexto para ampliar su participación en la planificación y el urbanismo. En Thousand Oaks, por ejemplo, un acuerdo entre el jefe de policía y la comisión de urbanismo llevó a una prohibición de las calles estrechas como una «prioridad de la prevención del crimen».

Entretanto, el control monitorizado de las zonas reurbanizadas del *downtown* se ha extendido a los aparcamientos, las calles y las plazas privadas. Esta vigilancia exhaustiva constituye un *scanscape* virtual: el espacio de una visibilidad protectora que cada vez define con mayor precisión dónde se sienten seguros los empleados de cuello blanco y los turistas de clase media. Los Ángeles, sin embargo, no tiene el monopolio de la tecnología orwelliana. Debido a una iniciativa del antiguo gobierno conservador, el centro de casi un centenar de ciudades británicas se encuentra actualmente cercado por la mirada panóptica de monitores en circuito cerrado gestionados en su mayoría por empresas privadas.

Los programas de *vigilancia de la ciudad*, que ADT, la empresa líder en este tipo de tecnología, promociona apasionadamente pueden convertirse en poco tiempo en una norma internacional. Hollywood, por ejemplo, acaba de establecer oficialmente la primera *zona de videovigilancia* de California, en el entorno de Yucca Street donde se vende droga, al oeste del famoso edificio de Capitol Records. El legendario rótulo de HOLLYWOOD está protegido contra el vandalismo mediante detectores de movimiento de última generación y cámaras de infrarrojos con *zooms* activados por radar. El sistema alerta a los vigilantes de la zona y graba fotografías de «intrusos» para utilizarlas como pruebas. Unos altavoces advierten a los intrusos que están siendo vigilados y que las autoridades están en camino.

Inevitablemente, tarde o temprano la monitorización por vídeo se conectará con los sistemas de seguridad del hogar, creando una vigilancia continua y sin fisuras sobre la rutina cotidiana. De hecho, es probable que uno de los elementos distintivos de las zonas acomodadas pronto sea la posibilidad de tener «ángeles de la guarda electrónicos» que observen al propietario y a sus allegados. Un experto en seguridad de Beverly Hills, dedicado a instalar sistemas de vídeo clandestinos que permiten a los padres acomodados vigilar a las empleadas domésticas mientras ellos se encuentran en el trabajo, comparó las ventas tras el juicio de Louise Woodward en 1997 (la niñera inglesa acusada de asesinar a un niño cerca de Boston) con la ocupación masiva por parte de la clase media de las tiendas de armas tras los disturbios de 1992. Las publicaciones de ciencia y tecnología, por su parte, han anunciado recientemente la llegada de la *supervigilancia digital* basada en aparatos como los radares de bolsillo, las cámaras de vídeo de ondas milimétricas, el rastreo automático por infrarrojos, los sistemas de códigos, los escáneres de retina, las llaves de voz, los lectores de huellas dactilares y los identificadores faciales térmicos. «Un mundo feliz», según el *New Scientist*, se ha puesto al día:

> *Un mundo en el que no habrá ningún lugar donde esconderse, ni donde esconder nada. Se están desarrollando aparatos que verán a través de las paredes y que podrán registrar a sospechosos a distancia, observando bajo su ropa y en sus cuerpos. Los individuos podrán ser identificados por su olor específico y ser localizados o reconocidos de forma electrónica, incluso antes de haber cometido un crimen. Gracias al abaratamiento de las cámaras de vídeo digitales y las nuevas y potentes rutinas de búsqueda, los individuos podrán localizarse fácilmente por ordenador. No existirá el anonimato, ni siquiera entre las multitudes que antes se consideraban inofensivas.*

La plataforma principal para esa nueva tecnología de la vigilancia será ese anacronismo del siglo XIX: el rascacielos. Los edificios altos son cada vez más sensibles y están cada vez mejor armados. El rascacielos con cerebro informático de la película *La jungla de cristal* (en realidad la torre F. Scott Johnson Fox-Pereira en Century City) anticipa una nueva generación de antihéroes arquitectónicos, a medida que los edificios inteligentes luchan alternativamente contra el mal o se convierten en su instrumento. Los sistemas sensoriales de muchos de los nuevos edificios de oficinas incluyen la visión panóptica, la percepción de olores, la sensibilidad a la temperatura y a la humedad, la detección de movimiento y, en algunos casos, la percepción auditiva. Actualmente, algunos arquitectos predicen que llegará el día en que los ordenadores inteligentes de los edificios serán capaces de investigar e identificar a su propia población humana e incluso de responder a sus estados emocionales, sobre todo al miedo y al pánico. Sin necesidad de contratar personal de seguridad, el edificio en sí será capaz de gestionar crisis menores, como ahuyentar a la gente de la calle o impedirles el uso de los lavabos, y mayores, como atrapar ladrones en el ascensor.

Los vecinos están vigilando

Lo que deberíamos hacer es intentar restaurar un equilibrio de las armas en las calles y no perseguir la ilusión
de que unas restricciones más severas puedan conseguir que los malos se desarmen.
Profesor de Derecho Pro-vigilante (1993)

Hace algunos años, una delegación de oficiales de policía de la antigua Alemania del Este contactaron con el departamento de policía de Los Ángeles. Ante el espectacular aumento de la violencia racial que experimentaba Alemania tras la unificación, estaban ansiosos por reunirse con el personaje más célebre del departamento. No se trataba del jefe de policía Willie Williams ni de su predecesor Daryl Gates, sino de «Bruno el Ladrón», el dibujo que representa a un felón enmascarado que aparece en los innumerables carteles que anuncian los límites de las comunidades *vigilancia del barrio* [figura 2, página 57].

El programa conocido como *vigilancia del barrio*, que engloba a más de 5.500 asociaciones de vigilancia, es la mayor contribución de la policía a la seguridad urbana. En la zona que Burgess definió como «las viviendas obreras» (que en Los Ángeles incluye, por un lado, los barrios del centro en los que el régimen de propiedad es mayoritario y, por otro, los suburbios más antiguos como los valles de San Fernando y San Gabriel), una extensa red de vecinos vigilantes ha desarrollado un sistema de seguridad que se encuentra a mitad de camino entre los solitarios propietarios armados y las fuerzas de seguridad privada de los suburbios vallados de renta alta. El concepto de *vigilancia del barrio* que ideó el antiguo jefe de policía Ed Davis ha sido emulado en cientos de ciudades norteamericanas y europeas, desde Seattle hasta Londres. Tras los disturbios de 1965-71 en South Central y el este de Los Ángeles, Davis ideó este programa como el eje de una estrategia diseñada para recuperar el apoyo a la policía por parte de la comunidad. Quería restablecer una fuerte vinculación entre las patrullas y los barrios. A pesar de que su sucesor, Daryl Gates, prefería las contundentes unidades SWAT a las amistosas patrullas en coche, la *vigilancia del barrio* siguió floreciendo durante los años ochenta.

Según el portavoz de la policía, el sargento Christopher West, «las asociaciones de *vigilancia del barrio* existen para incrementar la solidaridad local y la autoconfianza frente al crimen. Estimulados por sus capitanes, los residentes se convierten en vigilantes de la propiedad y el bienestar de los demás. Los comportamientos sospechosos se denuncian inmediatamente, y los propietarios se reúnen de forma periódica con los oficiales para planificar tácticas de prevención del crimen». Un policía fuera de servicio en una tienda de donuts en Silver Lake fue más pintoresco: «la *vigilancia del barrio* es como la caravana de una vieja película del Oeste. Los vecinos son los colonos y la intención es entrenarles para que coloquen los carromatos en círculo y luchen contra los indios, mientras la caballería de Los Ángeles viene a rescatarles». No hace falta decir que esta analogía con el Viejo Oeste tiene su lado siniestro. ¿Quién es el indicado para decidir qué tipo de comportamiento es «sospechoso» o quién parece un «indio»? El peligro más obvio en cualquier programa que recluta a miles de ciudadanos como informantes de la policía bajo el eslogan «denuncia al sospechoso» es que inevitablemente estigmatiza a grupos inocentes. Los adolescentes del centro de la ciudad son especialmente vulnerables a estas formas de estigmatización y acoso. En una reunión del programa *vigilancia del barrio* a la que asistí en Echo Park, una mujer mayor de raza blanca preguntó a un joven policía cómo identificar a los miembros de las bandas. La respuesta fue pasmosamente sucinta: «los miembros de las bandas llevan bambas caras y camisetas limpias». La mujer asintió con la cabeza y agradeció el sabio consejo mientras el resto de la audiencia se avergonzaba al pensar en los jóvenes del barrio que serían parados y registrados por ir sencillamente bien vestidos.

Mike Davis ha diseccionado la historia de Los Ángeles en libros como *Prisoners of the American Dream* (Verso, 1986), *City of Quarz* (Verso, 1991), *Ecology of Fear* (Vintage Books, 1998), uno de cuyos artículos es el texto que se presenta aquí, *Dead Cities* (The New Press, 2002). Lengua de Trapo publicará en castellano *Ecología del miedo* el próximo año y *Ciudad de cuarzo* en unos meses.

SCANSCAPE

MIKE DAVIS

'You can't commit crimes if you know that Big Brother is watching you.'
Hollywood landowner (1994)

Is there any need to explain why fear eats the soul of Los Angeles? Only the middle-class dread of progressive taxation exceeds the current obsession with personal safety and social insulation. In the face of intractable urban poverty and home-lessness, and despite one of the greatest expansions in American business history, a bipartisan consensus insists that any and all budgets must be balanced and entitlements reduced. With no hope for further public investment in the remediation of underlying social conditions, we are forced instead to make increasing public and private investments in physical security. The rhetoric of urban reform persists, but the substance is extinct. 'Rebuilding LA' simply means padding the bunker.

As city life grows more feral, the various social milieus adopt security strategies and technologies according to their means. As with Burgess' dartboard [figure 1], the pattern resolves itself into a series of concentric zones with a bull's eye in Downtown. To the extent that these security measures are reactions to urban unrest, it is possible to speak about a 'riot tec-tonics' that episodically convulses and reshapes urban space. After the 1965 Watts rebellion, for instance, downtown Los Angeles' leading landowners organized a secretive 'Committee of 25' to deal with perceived threats to redevelopment efforts. Warned by the LAPD that a black 'inundation' of the central city was imminent, the committee abandoned efforts to revitalize the city's aging financial and retail core. Instead, it persuaded city hall to subsidize the transplanting of banks and corporate front offices to a new financial district atop Bunker Hill, a few blocks to the west. The city's redevelopment agency, acting as a private planner, bailed out the committee's lost investments in the old business district by offering discounts far below real market value on parcels of land within the new core.

The key to the success of this strategy, celebrated as Downtown's 'renaissance', was the physical segregation of the new core and its land values behind a rampart of regraded palisades, concrete pillars and freeway walls. Traditional pedestrian con-nections between Bunker Hill and the old core were removed, and foot traffic was elevated above the street on 'pedways', as in Hugh Ferriss' imaginary Titan City, access to which was controlled by the security systems of individual skyscrapers. This radical privatization of Downtown public space, with its ominous racial overtones, occurred without significant public debate.

The 1992 riots vindicated the foresight of Fortress Downtown's designers. While windows were being smashed through-out the old business district, Bunker Hill lived up to its name. By flicking a few switches on their command consoles, the security staffs of the great bank towers were able to cut off all access to their expensive real estate. Bullet-proof steel doors rolled down over street-level entrances, escalators instantly froze, and electronic locks sealed off pedestrian passageways. As the *Los Angeles Business Journal* pointed out, the riot-tested success of corporate Downtown's defenses has only stimulated demand for new and higher levels of physical security.

One consequence of this demand has been the continuing erosion of the boundary between architecture and law enforce-ment. The LAPD have become central players in the Downtown design process. No major project now breaks ground with-out their participation. Police representatives have exerted effective pressure against the provision of public toilets ('crime scenes' in their opinion) and the toleration of street vending ('lookouts for drug dealers'). The riots also provided suburban police depart-ments with a pretext for enhancing their involvement in planning and design issues. In affluent Thousand Oaks, for example, the sheriff's liaison to the planning commission persuaded the city to outlaw alleys as a 'crime prevention priority'.

Video-monitoring of Downtown's redeveloped zones, meanwhile, has been extended to parking structures, private sidewalks and plazas. This comprehensive surveillance constitutes a virtual *scanscape*: a space of protective visibility that increasingly defines where white-collar office workers and middle-class tourists feel safe downtown. Los Angeles, how-ever, has no monopoly on Orwellian technology. Nearly one hundred British town centers, thanks to an initiative of the former Tory government, are now enclosed within the panoptic gaze of closed-circuit television monitors mostly operated by private contractors.

These 'City Watch' programs, zealously promoted by surveillance technology industry leader ADT, may soon become the international norm. Hollywood, for example, has just established California's first official 'Videotape Surveillance Zone' in the drug-ridden Yucca Street neighborhood just west of the famed Capitol Records building. The legendary Hollywood sign, meanwhile, is guarded against vandals and hikers by state-of-the-art motion detectors and infrared cameras with radar-activated zoom lenses. 'Intruders' pictures are recorded on a computer disk as evidence and city park rangers are alerted. Then loudspeakers warn trespassers that they are being watched and that authorities are on their way.'

Inevitably, video-monitoring will sooner or later be linked with home security systems in a seamless continuity of surveillance over daily routine. Indeed, up-market lifestyles may soon be defined by the ability to afford 'electronic guardian angels' to watch over the owner and all significant others in her or his life. A Beverly Hills security expert, who retails clandestine video systems that allow affluent working parents to monitor their low-paid nannies and maids, compared the boom in sales following the 1997 trial of Louise Woodward (the British nanny accused of murdering a Boston-area infant) to the middle-class run on local gun stores after the 1992 riots. Science and technology journals, for their part, have recently heralded the advent of 'digital super-surveillance' based on gadgets like pocket radars, millimeter-wave video cameras, infrared automatic tracking, code grabbers and rotators, retinal scanners, voice-keys, finger-mappers and thermal facial imagers. 'Brave New World', according to the *New Scientist*, is now off the shelf:

'It is a world where there will be nowhere to hide, nor anywhere to hide anything. There are already devices under development that will see through walls and strip-search suspects from a distance, looking under their clothes and inside their bodies. Individuals may be identified by their unique smells and tracked down, or "recognised" electronically, even before they have had time to complete a crime. And thanks to cheap digital video cameras and powerful new search algorithms, individuals will be tracked by computers. There will be no anonymity even in the once welcoming crowds.'

A premier platform for the new surveillance technology will be that anachronism of the nineteenth century: the skyscraper. Tall buildings are becoming increasingly sentient and packed with deadly firepower. The skyscraper with a mainframe brain in *Die Hard* (actually F. Scott Johnson's Fox-Pereira Tower in Century City) anticipates a new generation of architectural anti-heroes, as intelligent buildings alternately battle evil or become its pawns. The sensory systems of many of Los Angeles' new office towers already include panopticon vision, smell, sensitivity to temperature and humidity, motion detection, and, in a few cases, hearing. Some architects now predict that the day is coming when a building's own artificially intelligent computers will be able to automatically screen and identify its human population, and even respond to their emotional states, especially fear or panic. Without dispatching security personnel, the building itself will be able to manage crises both minor (like ordering street people out of the building or preventing them from using toilets) and major (like trapping burglars in an elevator).

The neighbors are watching

'What we should be doing is trying to restore an equilibrium of arms to the streets,
not chasing the delusion that with tighter restrictions we can get bad guys to give up their arms.'
Pro-vigilante law professor (1993)

A few years ago an anxious delegation of police officials from former East Germany contacted the Los Angeles Police Department. Faced with a massive upsurge in crime and ethnic violence following unification, they were eager to meet the department's most celebrated personality. They were not inquiring about Chief Willie Williams or his predecessor Daryl Gates, but about 'Bruno the Burglar', the felonious 'toon in a mask, who appears on countless signs that proclaim the borders of 'Neighborhood Watch' communities [figure 2].

The Neighborhood Watch program, comprising more than 5,500 crime surveillance block clubs, is the LAPD's most important contribution to urban policing. Throughout what Burgess called the 'Zone of Workingmen's Houses', which in Los

Angeles includes the owner-occupied neighborhoods of the central city as well as older blue-collar suburbs in the San Fernando and San Gabriel Valleys, a huge network of watchful neighbors provides a security system midway between the besieged, gun-toting homeowners of the transition zone and the private police forces of more affluent gated suburbs. The brainchild of former police chief Ed Davis, the Neighborhood Watch concept has been emulated in hundreds of North American and European cities from Seattle to London. In the aftermath of the 1965-1971 cycle of unrest in South Central and East Los Angeles, Davis envisaged the program as the anchor for a 'basic car' policing strategy designed to rebuild community support for the LAPD. He wanted to reestablish a strong territorial identity between patrol units and individual neighborhoods. Although his successor, Daryl Gates, preferred the commando bravado of SWAT units to the public-relations-oriented basic car patrols, Neighborhood Watch continued to flourish throughout the 1980s.

According to LAPD spokesperson Sergeant Christopher West, 'Neighborhood Watch clubs are intended to increase local solidarity and self-confidence in the face of crime. Spurred by their block captains, residents become vigilant in the protection of each other's property and well-being. Suspicious behavior is immediately reported and homeowners regularly meet with patrol officers to plan crime-prevention tactics'. An off-duty cop in a Winchell's Donut Shop in Silver Lake was more picturesque. 'Neighborhood Watch is like the wagon train in an old-fashioned cowboy movie. The neighbors are the settlers and the goal is to teach them to circle their wagons and fight off the Indians until the cavalry — the LAPD — can ride to their rescue.'

Needless to say, this Wild West analogy has its sinister side. Who, after all, gets to decide what behavior is 'suspicious' or who looks like an 'Indian'? The obvious danger in any program that conscripts thousands of citizens as police informers under the official slogan 'Be on the Look Out for Strangers' is that it inevitably stigmatizes innocent groups. Inner-city teenagers are especially vulnerable to flagrant stereotyping and harassment.

At one Neighborhood Watch meeting I attended in Echo Park, an elderly white woman asked a young policeman how to identify hard-core gang members. His answer was stupefyingly succinct: 'Gang-bangers wear expensive athletic shoes and clean, starched tee-shirts.' The woman nodded her appreciation of this 'expert' advice, while others in the audience squirmed in their seats at the thought of the youths in the neighborhood who would eventually be stopped and searched simply because they were well groomed.

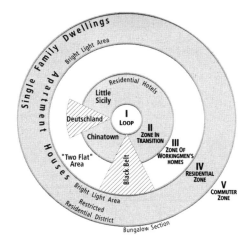 

Figura · Figure 1   Figura · Figure 2

Mike Davis has dissected the history of Los Angeles in books such as *Prisoners of the American Dream* (Verso, 1986), *City of Quarz* (Verso, 1991), *Ecology of Fear* (Vintage Books, 1998), which includes this article, and *Dead Cities* (The New Press, 2002).

SCARRED FOR LIVE. HEAVEN

Tracey Moffatt

En las series *Scarred for Life I* (1994) y *Scarred for Life II* (1999), la artista australiana Tracey Moffatt presenta una visión lúcida de determinados aspectos de la sociedad suburbial a partir de la elaboración fotográfico-textual de una serie de situaciones que se resumen en momentos extraídos, disecados, de las vidas de unos personajes cualesquiera. Para ellos parece que no exista otro mundo diferente al que queda perfectamente retratado a partir de ese breve fragmento congelado de aspecto cinematográfico. Tenemos la sensación de que no hace falta añadir nada más: una forma de vida de aire viciado que está en esa escena perfectamente actualizada, dicha, cerrada. A lo largo de la serie de imágenes subtituladas, la represión, el maltrato psicológico y la violencia, normalmente no físicos, se hacen patentes de maneras diversas. Cada una de las escenas muestra a jóvenes personajes sufriendo una humillación o vejación. En casi todos los casos son familiares los que humillan: los progenitores (*Job Hunt, Birth Certificate, Mother's Day, The Wizard of Oz, Useless, Mother's Replay, Suicide Threat, Pantyhose Arrest, Piss Bags*) o los hermanos (*Charm Alone, The Telecam Guys*). Moffatt retrata de manera directa la existencia dura de unos jóvenes que habitan tanto en los suburbios marginales como en los idílicos barrios residenciales de casas con jardín y valla blanca, haciendo una fuerte crítica a un falso puritanismo predominante en muchos de estos entornos. El vídeo *Heaven* es una secuencia de imágenes de surfistas siguiendo el ritual de vestirse o desvestirse en los aparcamientos, parcialmente ocultos por los coches o por toallas. Es un vídeo *voyeur* de corte crítico y reivindicativo feminista, en el que Moffatt roba la privacidad de unos personajes masculinos espiándolos, con una cámara de vídeo y convirtiéndolos en meros objetos (de deseo). El vídeo puede resumirse como una crítica a los conocidos procesos de objetualización sufridos por la mujer en tantos entornos sociales. I With her series *Scarred for Life I* (1994) and *Scarred for Life II* (1999), Australian artist Tracey Moffatt takes a lucid look at certain aspects of suburban society by using a combination of texts and photographs to explore situations that are summarised in moments taken from the lives of ordinary people and mounted. For them, it seems that there is no other world than the one perfectly portrayed in these brief, frozen, film-like fragments. They give the impression that there is no need to add a thing: these scenes capture an airless way of life where everything has been said and done. In a whole series of subtitled images, repression, psychological abuse and violence, normally of a non-physical nature, are manifested in a variety of ways. Each scene shows young people undergoing humiliation or vexation. In almost every case, it is family members doing the humiliating: parents (*Job Hunt, Birth Certificate, Mother's Day, The Wizard of Oz, Useless, Mother's Replay, Suicide Threat, Pantyhose Arrest, Piss Bags*); or brothers and sisters (*Charm Alone, The Telecam Guys*). Moffatt starkly portrays the tough existence of young people living in both depressed suburbs and in the idyllic residential districts of houses with front gardens and white fences, firing a broadside at the false puritanism predominant in many of these settings. The video *Heaven* is a sequence of images of surfers engaging in the ritual of getting dressed or undressing in car parks, partly concealed by cars and towels. It is a voyeuristic video with a critical, feminist slant, in which Moffat steals the privacy of her male subjects by spying on them with a video camera and turning them into mere objects (of desire). The video can be summarised as a critique of the well known process of objectualisation suffered by women in so many social settings. / Q

Páginas · Pages 59-64 ►

Páginas · Pages 65-71 ►

Páginas · Pages 72-75 ►

Scarred for Life I, 1994
Serie de 9 impresiones offset · Series of 9 offset prints
60 x 80 cm

Scarred for Life II, 1999
Serie de 10 impresiones offset · Series of 10 offset prints
60 x 80 cm

Heaven, 1997
Vídeo 28 minutos · Video, 28 minutes

Tracey Moffatt (Brisbane, 1960) ha desarrollado en distintos medios audiovisuales (fotografía, vídeo, cine) una obra artística en la que reflexiona sobre la violencia de determinadas formas sociales (en particular, hacia la mujer) y de ciertos lugares geográficos, como la Australia rural. De entre sus trabajos, destacamos el cortometraje *Night Cries: A Rural Tragedy* (1989), el largometraje *Bedevil* (1993) y las series fotográficas *Something more* (1989), *Guapa (Good-looking)* (1995) y *Up in the Sky* (1997). I Tracey Moffatt (Brisbane, 1960) uses different audiovisual media (photography, video, cinema) to develop a body of artistic work in which she reflects on the violence of certain social forms (particularly towards women) and geographical places, such as rural Australia. Her works include the short film *Night Cries: A Rural Tragedy* (1989), the full-length film *Bedevil* (1993) and the series of photographs, *Something more* (1989), *Guapa (Good-looking)* (1995) and *Up in the Sky* (1997).

Tracey Moffatt

Useless, 1974

Her father's nickname for her was *'useless'*.

Mother's Day, 1975 On Mother's Day, as the family watched, she copped a backhander from her mother.

Tracey Moffatt

Tracey Moffatt

Charm Alone, 1965

His brother said, *'croocked nose and no chin –
you'll have to survive on charm alone'.*

Tracey Moffatt

Heart Attack, 1970   She glimpsed her father belting the
girl from down the street.
That day he died of a heart attack.

Birth Certificate, 1962   During the fight, her mother threw her birth certificate at her.
This is how she found out her real father's name.

Telecam Guys, 1977

Later, her sister said, *'the Telecam guys told me I was
far more more attractive and vivacious'.*

Tracey Moffatt

Tracey Moffatt

Tracey Moffatt

The Wizard of Oz, 1956

He was playing Dorothy in the school's production of the *Wizard of Oz*.
His father got angry at him for getting dressed too early.

Tracey Moffatt

Job Hunt, 1976

After three weeks he still couldn't find a job.
His mother said to him, *'maybe you're not good enough'*.

Tracey Moffatt

Doll Birth, 1972 His mother caught him giving birth to a doll.
He was banned from playing with the boy
next door again.

Piss Bags, 1978

Locked in the van while their mothers continued their affair,
the boys were forced to piss into their chip bags.

Tracey Moffatt

Tracey Moffatt

Responsible but Dreaming, 1984

The eldest girl, though always responsible,
would escape in her dreams.

Tracey Moffatt

Brother was Mother, 1983

While their parents were out, his brother dressed as his mother.
For a split second he really thought that brother was mother.

Homemade Hand-knit, 1958

He knew his team mates were chuckling over
his mother's hand-knitted rugby uniform.

Tracey Moffatt

Scissor Cut, 1980

For punishment the Kwong sisters were
forced to cut the front lawn with scissors.

Tracey Moffatt

Always the Sheep, 1987

The smallest boy in class had to be the sheep
every night in the production of Waltzing Matilda

Tracey Moffatt

Suicide Threat, 1982

She was forty-five, single and pregnant for the first time. When her mother found out, she said *"If I wasn't Catholic I'd commit suicide"*.

Tracey Moffatt

Tracey Moffatt

Pantyhose Arrest, 1973

For his own safety while he played, his mother tied him up with pantyhose.
The next-door neighbours called the police.

Mother's Reply, 1976

On the night of her first school dance, she asked her mother what she thought. She replied *"you don't dress a pig up unless ya gonna eat it"*.

Tracey Moffatt

Scarred for Life I, 1994

◄ Página · Page 59
Useless, 1974. [Inútil, 1974] El apodo con el que su padre le llamaba era «inútil».

◄ Página · Page 60
Mother's Day, 1975. [El día de la madre, 1975] El día de la madre, mientras la familia miraba, ella encajó una bofetada de su madre.

◄ Página · Page 61
Charm Alone, 1965. [Sólo encanto, 1965] Su hermano dijo: «nariz torcida y sin barbilla, tendrás que vivir sólo de encanto».
Heart Attack, 1970. [Ataque de corazón, 1970] Ella vió a su padre golpear con el cinturón a la chica que vivía calle abajo. Ese día él murió de un ataque de corazón.
Birth Certificate, 1962. [Certificado de nacimiento, 1962] Durante la pelea, su madre le arrojó el certificado de nacimiento. Así es como se enteró del nombre de su verdadero padre.
Telecam Guys, 1977. [Los cámaras, 1977] Más tarde su hermana le dijo: «Los cámaras de televisión me dijeron que yo era mucho más atractiva y animada».

◄ Página · Page 62
The Wizard of Oz, 1956. [El Mago de Oz, 1956] Hacía de Dorothy en la producción escolar de *El Mago de Oz*. Su padre se enfadó con él por vestirse demasiado pronto.

◄ Página · Page 63
Job Hunt, 1976. [Búsqueda de trabajo, 1976] Después de tres semanas, todavía no había encontrado trabajo. Su madre le dijo: «Quizá no seas lo suficientemente bueno».

◄ Página · Page 64
Doll Birth, 1972. [Parto de la muñeca, 1972] Su madre le pilló dando a luz a una muñeca. Le fue prohibió volver a jugar con el vecino de al lado.

Scarred for Life II, 1999

◄ Página · Page 65
Piss Bags, 1978. [Bolsas para hacer pis, 1978] Encerrados en la furgoneta mientras sus madres continuaban su aventura amorosa, los chicos se vieron obligados a hacer pis en bolsas de patatas fritas.

◄ Página · Page 66
Responsible but Dreaming, 1984. [Responsable pero soñadora, 1984] La hija mayor, aunque siempre responsable, se evadía a través de los sueños.

◄ Página · Page 67
Brother was Mother, 1983. [El hermano era la madre, 1983] Mientras sus padres estaban fuera, su hermano se vistió como su madre. Por un instante pensó que su hermano era su madre.
Homemade Hand-knit, 1958. [Tricotado en casa, 1958] Él sabía que sus compañeros de equipo se reían de su uniforme tricotado por su madre.
Always the Sheep, 1987. [Siempre la oveja, 1987] El niño más bajo de la clase tenía que hacer de oveja cada noche en la obra de teatro *Waltzing Matilda*.
Scissors Cut, 1980. [Corte con tijeras, 1980] Como castigo, las hermanas Kwong fueron obligadas a cortar el césped del jardín de la casa con tijeras.

◄ Página · Page 68
Suicide Threat, 1982. [Amenaza de suicidio, 1982] Tenía cuarenta y cinco años, era soltera y estaba embarazada por primera vez. Cuando su madre se enteró dijo: «Si no fuera católica me suicidaría».

◄ Página · Page 69
Pantyhose Arrest, 1973. [Arresto de las medias, 1973] Por su propia seguridad, mientras jugaba, su madre le ató con unas medias. Los vecinos de al lado llamaron a la policía.

◄ Página · Page 70
Mother's Reply, 1976. [Respuesta de la madre, 1976] La noche de su primer baile de instituto, le preguntó a su madre qué pensaba. Ella respondió: «No se adorna a un cerdo a no ser que vayas a comértelo».

Tracey Moffatt

Door Dash, 1979
To get into their house every night the children had to dash past their drunken father at the door.

Door Dash, 1979. [Corriendo por la puerta, 1979] Para entrar en casa cada noche, los críos tenían que pasar corriendo por delante de la puerta de su padre borracho.

Páginas · Pages 72-75 ►
Heaven, 1997
Vídeo **28 minutos** · Video, 28 minutes

HEAVEN

Lovingly Compiled
by
TRACEY MOFFATT

AUTOMOVILIDAD Y LA CULTURA DEL COCHE

Roland Barthes afirma que la sociedad consume coches no sólo por su uso, sino por su imagen...
[es] el equivalente exacto a las grandes catedrales góticas (1972: 88).

Según Heidegger, la maquinaria despliega un carácter de dominio específico, una modalidad de disciplina concreta y una clase de conciencia propia de conquista sobre los seres humanos (Zimmerman 1990: 214). En el siglo XX esta disciplina y este dominio ejercidos por medio de la tecnología se ponen especialmente de manifiesto en el sistema de producción, consumo, circulación, localización y sociabilidad impulsado por el «coche de motor».

El coche y el sistema de automovilidad constituyen la mejor ejemplificación del desarrollo de una globalización putativa. En el siglo pasado se fabricaron mil millones de coches. En la actualidad el parque mundial de coches asciende a más de 500 millones, cifra que, según las previsiones, se habrá duplicado para el 2015 (Shove 1998). Pocas veces el coche ha sido objeto de discusión en la «literatura de la globalización» (ver, por ejemplo, *The Global Age* de Albrow, 1996). Su carácter de dominio específico, no obstante, es tan global como el de las otras dos grandes culturas tecnológicas del siglo XX: la televisión y el ordenador.

El sistema social y técnico del coche representa un híbrido de enorme complejidad, la «automovilidad», que desde mi punto de vista debe estudiarse en función de seis componentes: como objeto fabricado, artículo de consumo individual, complejo maquínico, movilidad cuasiprivada, cultura y recurso-uso medioambiental. La *combinación particular* de estos componentes es la que genera el «carácter de dominio específico» que la automovilidad ejerce sobre la mayoría de las sociedades de todo el mundo (ver Whitelegg 1997). No es posible debilitar este dominio si no se logra sustituir todos estos componentes por un híbrido alternativo. Paso a analizar a continuación estos componentes por separado (ver Shove 1998).

· Es el *objeto fabricado* quintaesencial producido por los sectores industriales líderes y las compañías icono del capitalismo del siglo XX (Ford, GM, Rolls-Royce, Mercedes, Toyota, VW, etc.); ello ha generado la industria de la que han surgido conceptos clave como el fordismo y el posfordismo, que permiten analizar la naturaleza y las variaciones de la trayectoria del capitalismo occidental.

· Después de la vivienda, es el artículo de mayor *consumo individual* que (1) proporciona un estatus a su propietario/usuario por medio de los valores que se le asocian (como la velocidad, la seguridad, el deseo sexual, el éxito profesional, la libertad, la familia o la masculinidad); al que (2) se tiende a antropomorfizar al ponerle un nombre, conferirle características rebeldes, orientarse a diferentes grupos de edad, etc.; y que (3) genera altos índices de criminalidad (robos, exceso de velocidad, conducción en estado de embriaguez, conducción temeraria), al tiempo que es un tema de debate desproporcionado dentro del sistema penal de diversos países.

· Como *complejo maquínico* despliega un extraordinario poder, constituido por sus interrelaciones técnicas y sociales con otras industrias, como el sector de piezas y accesorios de coches, el refinado y la distribución de petróleo, la construcción y el mantenimiento de carreteras, los hoteles, las áreas de servicio y los moteles de carretera, las ventas y los talleres de reparación de coches, la construcción de vivienda suburbana, los nuevos centros comerciales y complejos de ocio, la publicidad y el marketing, etc.

· Representa la forma global predominante de la *movilidad* «cuasiprivada» que subordina otras movilidades «públicas» como ir a pie, en bicicleta o en tren; reorganiza el modo en que los individuos gestionan las oportunidades y las limitaciones en el trabajo, la vida familiar, el ocio y el placer.

· Es la *cultura* dominante que organiza y legitima sociabilidades entre diferentes sexos, clases y edades; que sostiene los discursos prevalecientes de lo que es la vida de calidad y lo que es necesario para una ciudadanía de movilidad apropiada; y que proporciona imágenes y símbolos literarios y artísticos de gran fuerza, como es el caso de las novelas *Regreso a Howards End: la mansión*, de E. M. Forster, en la que se evoca cómo los coches generan un «sentido del flujo» (1931: 191), y *Crash*, de J. G. Ballard, en la que se utiliza el coche como metáfora total de la vida del hombre en la sociedad moderna (1995: 6; Graves-Brown 1997).

· Constituye la causa más importante del *recurso-uso medioambiental* que resulta del excepcional alcance de material, espacio y poder invertidos en la fabricación de coches y la construcción de carreteras y entornos exclusivos para coches, y que conlleva las consecuencias materiales, de calidad del aire, médicas, sociales, relativas al ozono, visuales, de contaminación acústica, etc. de la automovilidad prácticamente global (ver Whitelegg 1997; SceneSusTech 1998).

La automovilidad es una fuente de libertad, la «libertad de la carretera». Su flexibilidad permite al conductor desplazarse a gran velocidad, en cualquier momento y en cualquier dirección a lo largo de las complejas redes de carreteras de las sociedades occidentales que conectan la mayoría de edificios, lugares de trabajo y complejos de ocio. Los coches, por tanto, amplían la accesibilidad del individuo y, en consecuencia, su ámbito de actuación. La vida social, tal como la entendemos la mayoría, no sería posible sin la flexibilidad inherente al coche y su disponibilidad durante las 24 horas del día. El coche permite desplazarse al trabajo y a casa, visitar a los amigos y la familia cuando a uno le apetece y no según el horario determinado por las compañías de autobuses y ferrocarriles. De este modo, uno no está supeditado a los medios de transporte público, y se evitan los peligros a los que se ven expuestos los peatones o los ciclistas. Con el coche es posible salir tarde o perder enlaces; en definitiva, desplazarse sin estar ligado al tiempo. Poder viajar cuando uno quiere, por las rutas que escoja, dar con lugares inesperados, parar sin limitaciones de tiempo y seguir cuando uno desee son ventajas que la sociedad valora muy positivamente. En términos de Shove, los coches son uno de los «productos de consumo» que hacen posible la compleja vida frenética de nuestros tiempos.

Por otra parte, el coche no es un simple medio para desplazarse de un lugar a otro. Se conduce por placer o al menos se percibe como algo que forma parte de lo que representa ser un ciudadano actual. De este modo, se convierte por sí solo en una meta y una serie de habilidades y logros. Conducir un coche puede proporcionar un gran placer, al transmitir las sensaciones de libertad, habilidad y posesión. No conducir o no tener coche supone dejar de participar plenamente en las sociedades occidentales. En un estudio realizado en los años setenta, se llegó a la conclusión de que la gran mayoría de empleados demostraban mayor habilidad conduciendo al trabajo y a casa que durante el desarrollo de su actividad laboral (Blackburn y Mann 1979). El coche nunca será un mero medio de transporte. Tener un coche y saber conducirlo son derechos articulados a través de poderosas organizaciones como la AA y la RAC en el Reino Unido.

No obstante, cabe decir que la automovilidad también modela esta flexibilidad y estos derechos. El coche obliga a los individuos a orquestar de forma compleja y heterogénea sus movilidades y sociabilidades a grandes distancias. En consecuencia, la automovilidad:

· separa el lugar de trabajo del hogar, ocasionando largos trayectos al trabajo y a casa
· separa el hogar de los establecimientos comerciales, destruyendo el pequeño comercio local al que se podía acceder a pie o en bicicleta
· separa el hogar de los complejos de ocio, a los que por lo general sólo se puede acceder por medio de transporte motorizado
· separa a los miembros de las familias que viven a grandes distancias, lo que implica largos viajes para reunirse periódicamente
· atrapa a los conductores en atascos, imprevistos y entornos perjudiciales para la salud
· los encierra en un entorno móvil privado y protegido que consume una enorme cantidad de recursos (ver SceneSusTech 1998)

La automovilidad, por tanto, obliga a la sociedad a adoptar una gran flexibilidad. Nos fuerza a hacer malabarismos con el tiempo para afrontar las limitaciones temporales y espaciales que genera. Tal vez constituya el mejor ejemplo de cómo los deseos del individuo o la familia —de flexibilidad y libertad, en este caso— ocasionan de forma involuntaria el efecto contrario al perseguido. Según Shove, «una mayor libertad representa una menor elección, ya que el coche parece provocar precisamente la clase de problemas que prometía resolver» (1998: 7). La movilidad de las masas no genera accesibilidad.

La automovilidad podría considerarse, pues, como un monstruo de Frankenstein que lleva al individuo a ámbitos de libertad y flexibilidad en que el tiempo transcurrido en el coche puede ser visto positivamente, pero que también estructura y obliga a los conductores a rentabilizar el tiempo al máximo. Whitelegg resume con acierto las consecuencias de este Frankenstein: «Henry Ford no se habría dejado impresionar por el monstruo que estaba contribuyendo a crear» (1997: 18).

La automovilidad condiciona el modo en que organizan su vida los usuarios de coche y los que no lo son en relación con el tiempo y el espacio. En *Crash*, J. G. Ballard describe este mundo infantil basado en la cultura del coche donde cualquier exigencia puede ser satisfecha al instante (1995: 4; Macnaghten y Urry 1998: cap. 5). La automovilidad genera lo que he dado en llamar tiempo «instantáneo» o «atemporal», que debe ser gestionado de forma especialmente compleja, heterogénea e incierta, un tiempo que presenta un alto grado de fragmentación como se muestra en la siguiente tabla.

Tiempo instantáneo

Cambios en el procesamiento y la comunicación de la información que permiten transmitir datos e ideas al instante y su acceso simultáneo en todo el mundo

Desarrollo de la automovilidad, que acaba con los horarios públicos

Cambios tecnológicos y organizativos que difuminan la distinción entre día y noche, semana laborable y fin de semana, hogar y trabajo, ocio y trabajo

Mayor número de productos, lugares e imágenes desechables en nuestra sociedad de «usar y tirar»

Creciente volatilidad y efemeridad de la moda, productos, procesos laborales, ideas e imágenes

Mayor «temporalidad» de los productos, trabajos, profesiones, estilos, valores y relaciones interpersonales

Proliferación de nuevos productos, artículos tecnológicos de gran adaptabilidad e ingentes cantidades de residuos que suelen trasladarse a otros países para su vertido o transformación

Aumento de los contratos temporales, lo que ha dado lugar al concepto de la «mano de obra *just-in-time*» y la tendencia a crear «carteras» de trabajos

Incremento de las transacciones bursátiles las 24 horas del día, por lo que inversores y agentes no tienen que esperar a comprar y vender valores y divisas de otras partes del mundo

Mayor «modularización» del ocio, la educación, la formación y el trabajo

Mayor disponibilidad de productos de diferentes sociedades, lo que amplía la diversidad de estilos y modas sin necesidad de viajar al país de producción

Aumento de los índices de divorcio y de otras formas de anulación de vínculos familiares

Menor sentido de la confianza, lealtad y compromiso de las familias a lo largo de las generaciones

Sensación de que el ritmo de la vida en el mundo se ha acelerado demasiado y de que se halla en contradicción con otros aspectos de la experiencia humana

Mayor volatilidad en las preferencias políticas

Cabe contrastar este tiempo instantáneo con la planificación oficial de la movilidad que acompañó al desarrollo de los ferrocarriles a mediados del siglo XIX (y que sigue existiendo hoy en día; ver Lash y Urry 1994: 228-9). Se trataba de una planificación modernista basada en los horarios públicos. La automovilidad, en cambio, implica una planificación más individual de la vida, una planificación personal de los diferentes instantes o fragmentos del tiempo. Se produce un control no ya de lo social, sino del yo. Los individuos procuran mantener narrativas biográficas coherentes —aunque las sometan continuamente a revisión— en el contexto de diversas opciones filtradas por medio de sistemas abstractos (como las producidas por la automovilidad: Giddens 1991: 6). La planificación objetiva de los horarios modernistas de los ferrocarriles se ve reemplazada por temporalidades subjetivas personalizadas, puesto que los individuos viven en su coche y gracias a él (si es que disponen de él; Lash y Urry 1994: 41-2). Por tanto, la automovilidad obliga prácticamente a todos los integrantes de las sociedades avanzadas a manejar pequeños fragmentos de tiempo, de modo que puedan compaginar los complejos y frágiles esquemas de la vida social que constituyen las narrativas propias del yo.

REFERENCIAS

Albrow, M. (1996), *The Global Age.* Cambridge: Polity.

Ballard, J. G. [1973] (1995), *Crash.* London: Vintage.

Barthes, R. (1972), *Mythologies.* London: Cape.

Blackburn, R. and Mann, M. (1979), *The Working Class in the Labour Market.* Cambridge: Cambridge University Press.

Forster, E. M. (1931), *Howard's End.* Harmondsworth: Penguin.

Giddens, A. (1991), *Modernity and Self-Identity.* Cambridge: Polity.

Graves-Brown, P. (1997), 'From highway to super-highway: the sustainablity, symbolism and situated practices of car culture'. En: *Social Analysis*, nº 41, p. 64-75.

Lash, S. and Urry, J. (1994), *Economies of Signs and Space.* London: Sage.

Macnaghten, P. and Urry, J. (1998), *Contested Natures.* London: Sage.

Shove, E. (1998), *Consuming Automobility.* SceneSus-Tech Discussion Paper.

Urry, J. (1995), *Consuming Places.* London: Routledge.

Urry, J. (1998), 'Contemporary transformations of time and space'. En: P. Scott (ed) *Globalization of Higher Education.* London: SRHE.

Whitelegg, J. (1997), *Critical Mass.* London: Pluto.

Zimmerman, M. (1990), *Heidegger's Confrontation with Modernity.* Bloomington: Indiana University Press.

John Urry es catedrático de sociolgía en la Universidad de Lancaster. Entre sus obras recientes, destacamos *Sociology Beyond Societies: Mobilities for the Twenty-First Century* (Routledge, 2000), *Bodies of Nature* (Sage Publications, 2001), la segunda edición revisada de *The Tourist Gaze* (Sage Publications, 2002) y *Global Complexity* (Polity Press, 2003).

AUTOMOBILITY AND CAR CULTURE

Roland Barthes says that the car is 'consumed in image if not in usage by the whole population ... [it is] the exact equivalent of the great Gothic cathedrals' (1972: 88).

According to Heidegger, machinery 'unfolds a specific character of domination ... a specific kind of discipline and a unique kind of consciousness of conquest' over human beings (quoted in Zimmerman, 1990: 214). In the twentieth century this disciplining and domination through technology is most dramatically seen in the system of production, consumption, circulation, location and sociality engendered by the 'motor car'.

The car and the system of automobility are the best exemplification of the development of a putative globalisation. One billion cars have been manufactured in this century, and there are currently over 500 million cars worldwide, a figure expected to double by 2015 (Shove, 1998). The car is curiously though rarely discussed in globalisation literature (see for example Albrow's *The Global Age*, 1996). Its 'specific character of domination' is nevertheless as global as the other great technological cultures of the twentieth century, the TV and the computer.

The social and technical system of the car constitutes an enormously complex hybrid, 'automobility', which should be examined through six components: manufactured object, individual consumption, machinic complex, quasi-private mobility, culture and environmental resource-use. My argument is that it is the unique combination of these components that generates the 'specific character of domination' that automobility exerts over almost all societies across the globe (see Whitelegg, 1997). This domination cannot be undermined unless an alternative hybrid somehow replaces all of these components, some of which I will go on to analyse (see Shove, 1998).

· It is the quintessential *manufactured object* produced by the leading industrial sectors and the iconic firms within twentieth-century capitalism (Ford, GM, Rolls-Royce, Mercedes, Toyota, VW and so on); hence the industry from which key concepts such as Fordism and Post-Fordism have emerged to analyse the nature of and changes in the trajectory of Western capitalism.

· After housing, it is the major item of *individual consumption* which, firstly, provides status to its owner/user through the sign-values with which it is associated (such as speed, home, safety, sexual desire, career success, freedom, family, masculinity); secondly, is easily anthropomorphised by being given names, having rebellious features, being seen to age and so on; and, thirdly, generates massive amounts of crime (theft, speeding, drunk driving, dangerous driving) and disproportionately preoccupies each country's criminal justice system.

· It is an extraordinarily *powerful machinic* complex constituted through the car's technical and social interlinkages with other industries, including car parts and accessories; petrol refining and distribution; road-building and maintenance; hotels, roadside service areas and motels; car sales and repair workshops; suburban house building; new retailing and leisure complexes; advertising and marketing, and so on.

· It represents the predominant global form of quasi-private *mobility* that subordinates other public mobilities of walking, cycling, travelling by rail and so on; it reorganises how people negotiate the opportunities for and constraints upon work, family life, leisure and pleasure.

· It is the dominant *culture* that organises and legitimates socialities across different genders, classes, ages and so on; that sustains major discourses of what constitutes the good life and what is necessary for an appropriate citizenship of mobility; and that provides potent literary and artistic images and symbols. These include E. M. Forster's evocation in *Howard's End* of how cars generate a 'sense of flux' (1931: 191), and J. G. Ballard's *Crash* which uses the car 'as a total metaphor for man's life in modern society' (1995: 6; Graves-Brown, 1997).

· It constitutes the single most important cause of *environmental resource-use* resulting from the exceptional range and scale of material, space and power used in the manufacture of cars, roads and car-only environments, and in coping with the consequences (material, air quality, medical, social, ozone, visual, noise and others) of today's practical global automobility (see Whitelegg, 1997; SceneSusTech, 1998).

Automobility is a source of freedom, the 'freedom of the road'. Its flexibility enables the car-driver to travel at speed, at any time, in any direction along the complex road systems of Western societies that link together most houses, workplaces and leisure sites. Cars therefore extend where people can go and, hence, what as humans they are able to do. Much of what many people now think of as social life could not be undertaken without the flexibility of the car and its availability 24 hours a day. One can travel to and from work, friends and family when one wants to and not when the bus or rail operator determines. Cars avoid much of the timetabling involved in most public transport, as well as the dangers of being a pedestrian or a cyclist. It is possible to leave late by car, to miss connections, to travel in a relatively timeless fashion. People find pleasure in travelling when they want to, along routes that they choose, finding new places unexpectedly, stopping for relatively open-ended periods of time and moving on when they desire. Cars are what Shove terms another of the 'convenience devices' that make complex, harried patterns of contemporary life just about possible — for those with cars (1998).

Moreover, car-driving is not merely a means of getting from place to place. It is an activity that people enjoy in itself or at least regard as part of being a contemporary citizen. Car-driving is a goal and a set of skills and accomplishments in itself. Driving a car can be a source of intense pleasure: of flexibility, skill, possession and excitement. Not to drive and not to have a car is to fail to participate fully in Western societies. In research conducted in the 1970s it was reported that the overwhelming majority of employees demonstrated more skill in driving to and from work than in what they actually did while they were at work (Blackburn and Mann, 1979). The car is never simply a means of transport. To possess a car and to be able to drive it are crucially significant rights articulated through powerful organisations such as the AA and RAC in the UK.

But at the same time this flexibility and these rights are themselves necessitated by automobility. The moving car forces people to orchestrate their mobilities and socialities in complex and heterogeneous ways across very significant distances. Automobility necessarily:

· divides workplaces from the home, thereby producing lengthy commutes
· splits home and shopping, and destroys local retailing outlets to which one might have walked or cycled
· separates home and various kinds of leisure sites which are often only available by motorised transport
· splits up the members of families who live in distant places which necessarily involve complex travel for intermittent meetings
· entraps people in congestion, jams, temporal uncertainties and health-threatening environments
· encapsulates people in a privatised, cocooned, moving environment which uses up a disproportionate amount of physical resources (see SceneSusTech, 1998).

Automobility thus coerces people into an intense flexibility. It forces people to juggle tiny fragments of time so as to deal with the temporal and spatial constraints that it generates. It is perhaps the best example within the social world of how systematic unintended consequences are produced as a consequence of individual or household desires, in this case for flexibility and freedom. Shove writes: 'more freedom means less choice, for it seems that cars simultaneously create precisely the sorts of problems which they also promise to overcome' (1998: 7). Mass mobility does not generate mass accessibility.

Automobility can thus be seen as a Frankenstein-monster, extending the individual into realms of freedom and flexibility whereby one's time in the car can be positively viewed, but also structuring and constraining the users of cars to live their lives in very particular time-compressed ways. Whitelegg neatly summarises the consequences of this Frankenstein: 'Henry Ford would not have been impressed by the monster that he was instrumental in creating' (1997: 18).

Automobility dominates how both car-users and non-car-users organise their lives through time-space. In *Crash*, J. G. Ballard describes this car-based infantile world where any demand can be satisfied instantly (1995: 4; Macnaghten and Urry, 1998: chapter 5). It develops what I call instantaneous or timeless time that has to be managed in highly complex, heterogeneous and uncertain ways. Automobility is involved in the generation of a hugely fragmented time, elaborated below:

Instantaneous time

informational and communication changes which allow information and ideas to be instantaneously transmitted and simultaneously accessed across the globe

development of automobility which breaks down the public time of the timetable

technological and organisational changes which dissolve distinctions of night and day, working week and weekend, home and work, leisure and work

the increasing disposability of products, places and images in a throw-away society

the growing volatility and ephemerality in fashions, products, labour processes, ideas and images

a heightened temporariness of products, jobs, careers, natures, values and personal relationships

the proliferation of new products, flexible forms of technology and huge amounts of waste often moving across national borders

growth of short-term labour contracts, what has been called the just-in-time workforce, and the tendency for people to develop portfolios of tasks

the growth of 24-hour trading so that investors and dealers never have to wait for the buying and selling of securities and foreign exchange from across the globe

the increased modularisation of leisure, education, training and work

extraordinary increases in the availability of products from different societies so that many styles and fashions can be consumed without having to wait to travel to the source

increased rates of divorce and other forms of household dissolution

a reduced sense of trust, loyalty and commitment of families over generations

the sense that the pace of life throughout the world has got too fast and is in contradiction with other aspects of human experience

increasingly volatile political preferences

This instantaneous time is to be contrasted with the official timetabling of mobility that accompanied the development of the railways in the mid-nineteenth century, and which continues with many timetables (see Lash and Urry, 1994; 228-9). This was modernist clock-time based on the public timetable.

Automobility by contrast involves a more individualistic timetabling of one's life, a personal timetabling of these many instants or fragments of time. There is here a reflexive monitoring not of the social but of the self. People try to sustain 'coherent, yet continuously revised, biographical narratives in the context of multiple choices filtered through abstract systems' such as that produced by automobility (Giddens, 1991; 6). The objective clock-time of the modernist railway timetable is replaced by personalised, subjective temporalities, as people live their lives in and through their cars — if they have one (Lash and Urry, 1994: 41-2). Automobility coerces almost everyone in advanced societies to juggle tiny fragments of time in order to put together complex, fragile and contingent patterns of social life, which constitute self-created narratives of the reflexive self.

REFERENCES

Albrow, M.: *The Global Age.* Cambridge: Polity, 1996.

Ballard, J. G.: *Crash.* London: Vintage, [1973] 1995.

Barthes, R.: *Mythologies.* London: Cape, 1972.

Blackburn, R. and Mann, M.: *The Working Class in the Labour Market.* Cambridge: Cambridge University Press, 1979.

Forster, E.M.: *Howard's End.* Harmondsworth: Penguin, 1931.

Giddens, A.: *Modernity and Self-Identity.* Cambridge: Polity, 1991.

Graves-Brown, P.: 'From highway to superhighway: the sustainablity, symbolism and situated practices of car culture', *Social Analysis*, no. 41, pp. 64-75, 1997.

Lash, S. and Urry, J.: *Economies of Signs and Space.* London: Sage, 1994.

Macnaghten, P. and Urry, J.: *Contested Natures.* London: Sage, 1998.

Shove, E.: *Consuming Automobility.* SceneSusTech Discussion Paper, 1998.

Urry, J.: *Consuming Places.* London: Routledge, 1995.

Urry, J.: 'Contemporary transformations of time and space', P. Scott (ed) *Globalization of Higher Education.* London: SRHE, 1998.

Whitelegg, J.: *Critical Mass.* London: Pluto, 1997.

Zimmerman, M.: *Heidegger's Confrontation with Modernity.* Bloomington: Indiana University Press, 1990.

John Urry is Professor of Sociology at the University of Lancaster. His recent work includes *Sociology Beyond Societies: Mobilities for the Twenty-First Century* (Routledge, 2000), *Bodies of Nature* (Sage Publications, 2001), the second revised edition of *The Tourist Gaze* (Sage Publications, 2002) and *Global Complexity* (Polity Press, 2003).

I Montserrat prou és una lliçó,
i fa mil anys que us va donant l'exemple.
La pedra hi diu connubi i unió;
cada penyal, com element d'un temple,
contribueix al goig de la blavor.

Aquí, a cap roca no li escau el tracte
d'aquells que viuen amb un rei al cos,
i, humil, serveix dintre l'acord compacte
de l'enorme puresa del repòs.

I, per això, el conjunt es mostraria,
a l'ull que el sabés veure, extasiat,
com un gran orgue amb gana d'harmonia,
o una corona amb urc de jerarquia,
o un castell amb respir de voluntat.

Però l'orgue, el castell i la corona
no tenen altre honor
que el d'un immens gegant que s'abandona
a un desinteressat acte d'amor.
Tota la pedra dreta i decantada,
tot el múscul morat i safirí,
no han estat més, avui i ahir,
que una sola muntanya enamorada
d'aquesta Negra Augusta, vinculada
al blanc més tendre del més pur destí.

I aquesta Dona que a la pell reflecta
la profunda claror de l'ull immens
de l'Arcàngel, atònit i suspens
en contemplar-la tan perfecta;
i aquest prodigi de rocam blavós,
que, a desgrat de l'impuls que al clam excita,
disciplinat i rigorós,
s'adapta als límits d'una llei prescrita,
per a vosaltres els triava el cel,
i en vostre paisatge, ja tan noble,
per a fer-lo més noble, i més model,
de la díscola sang del vostre poble,
us el plantà en el punt més avinent
i més net d'horitzons, i fet a mida,
perquè, en guaitar-los, comprengués la gent
que era el vostre país lloc eminent
i terrenal escorça preferida
de la tendresa de l'Omnipotent.

I tenir Montserrat com cosa pròpia,
es mereixia de la vostra part
no tolerar el somriure del covard
ni la fàtua mentida de la inòpia;
i es mereixia un pensament agut,
i una més digna i ben portada roba,
que us preservessin, en el punt de prova,
de caure en els desastres que heu caigut.

Josep Maria de Sagarra, *El poema de Montserrat* [fragmento], 9 de enero 1945

El poema de Montserrat, Volúmenes 4 y 5 de la *Obra completa* de Josep Maria de Sagarra, Edicions 3 i 4, 1997.

Montserrat es sin duda una lección, / hace más mil años da ejemplo. / La piedra expresa connubio y unión; / cada peña, como elemento de un templo, / contribuye a una azul exaltación. // Aquí, a ninguna roca le va el trato / de quienes tienen un rey en el cuerpo, / y, humilde, sirve al acorde compacto / de la enorme pureza del reposo. // Y, por eso, el conjunto se mostraría, / a quien supiese verlo, extasiado, / como órgano sediento de armonía, / corona y orgullo de jerarquía, / castillo respiro de voluntad. // Pero órgano, castillo y corona / no tienen otro honor / que el de un gran gigante que se abandona / a un desinteresado acto de amor. / Toda la piedra recta y decantada, / el músculo morado y de zafiro, / tanto ayer como hoy no han sido / nada más que montaña enamorada / de Negra Augusta, al blanco vinculada, / el más tierno del más puro destino. // Y esta Mujer que en la piel reflecta / la profunda claror del ojo inmenso / del Arcángel, atónito y suspenso / al contemplarla tan perfecta; / y este prodigio de roca azulado, / que, a disgusto del clamor que excita, / riguroso y disciplinado, / se hace a los límites de ley prescrita, / para vosotros los elegía el cielo, / y en vuestro paisaje, ya tan noble, / para hacerlo más noble, y modelo, / de díscola sangre de vuestro pueblo, / los plantó en el punto más conveniente, / más limpio de horizontes, y a medida, / para que, al mirarlos, viese la gente / que es vuestro país lugar eminente / y terrenal corteza preferida / de ternura del Omnipotente. // Tener Montserrat como cosa propia / bien se merecía de vuestra parte / no tolerar sonrisa del cobarde / ni la fatua mentira de la inopia; / merecía un pensamiento instruido, / y una ropa digna y de mejor ver, / que en la prueba os preservasen de caer / en los desastres en que habéis caído.

And Montserrat is surely a lesson, / and for a thousand years it has served as an example. / Its stone speaks of marriage and union; / each pinnacle, like an element in a temple, / contributes to the gladness of its blue. // Here, no single rock calls for the address / of those who would be imperious / and, humble, each serves within the compact accord / of the vast purity of repose. / And this is why the sum would appear, / to the eye that could see it, enraptured, / like a great organ that yearns for harmony, / or a crown that aspires to hierarchy, / or a castle that breathes firmness of will. // Yet the organ, the castle and the crown / have no other honour / than that of a great giant who gives himself up / to a disinterested act of love. / All the stone, straight and slanting, / all the muscle, mauve and sapphire, / are no more, now as then, / than a single mountain enamoured / of this Black Augusta, bound / to the tenderest white of the purest destiny. // And this Woman whose skin reflects / the profound light of the great eye / of the Archangel, wondering and bewildered / at seeing her so perfect; / and this prodigy of bluish rock, / which, despite the impulse that inspires exclamation, / disciplined and rigorous, / adapts itself to the confines of a prescribed law, / chosen for you by heaven, / which, in your landscape, already so noble, / to render it nobler, and more exemplary, / of the unruly blood of your people, / set it at the most concordant point, / freest of horizons and specially conceived / so that, upon looking at it, people would understand / that your country was the eminent place / and favoured earthly face / for the tenderness of the Almighty. // And to have Montserrat as your own / merits on your part that you should / not tolerate the smile of the coward / or the fatuous lie of indigence; / and it merits acute thought, / and more worthy and fitting clothing / that would preserve you, when put to the test, / from meeting the disasters you have met. / JOSEP MARIA DE SAGARRA, *THE POEM OF MONTSERRAT* [FRAGMENT], 9 JANUARY 1945

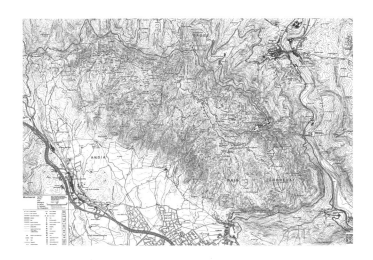

MONTSERRAT SE ESCONDE Jorge Mestre, Ivan Bercedo MONTSERRAT IS HIDING

sensación **natural**

Las tarimas macizas Junckers son auténticas, e inigualables. Las de madera de Haya, por ejemplo, están secadas mediante prensado, lo cual las hace más duras y resistentes. También fabricamos tarimas de Sylvaket (Haya oscura), Roble, Merbau y Tabla Ancha (tablas de 129 mm de ancho).

Los suelos de madera maciza Junckers, no crean alergias, ni electricidad estática y son suelos para toda la vida.

Se instalan acabados de fábrica, ya sean barnizados o al aceite. No hay que lijarlos, o barnizarlos, una vez instalados y su excelente barniz protegerá la superficie de la madera durante muchos años.

Pero lo mejor, si quiere saber más sobre los suelos Junckers, es que nos llame al **901 116 507** (teléfono de coste compartido).

JUNCKERS
A NATURAL FEELING

SUELOS DE AUTÉNTICA MADERA MACI

JUEGOS KOMPAN S.A.
Camí del Mig, 79 - 81,
08302 MATARÓ - BARCELONA
Tel. 902 194 573
www.KOMPAN.es

KOMPAN
Unique Playgrounds

AQ13 Tank. DISEÑO Francesc Rifé

Si ✎ Mondrian
hagués conegut Silestone,
hauria estat arquitecte.

SILESTONE és l'aglomerat de pedra amb la gamma de colors més àmplia del mercat. La seva resistència, durada i facilitat d'aplicació el converteixen en el material ideal per a taulells de treball, banys, cuines o mostradors públics, o altres llocs on el color forma part del disseny.

Per això, si Mondrian hagués conegut Silestone, hauria pogut aplicar les seves idees del color als edificis.

SILESTONE
by Cosentino

La Pedra del Teu Color

Un auténtico profesional confía siempre en el auténtico porcelánico.

"Para un profesional es muy importante que una obra se ejecute con materiales que aporten calidad, diseño y belleza al conjunto. Estas características son las que distinguen al porcelánico ALCALAGRES, que utilizo frecuentemente en mis proyectos"

En ALCALAGRES es un reto constante que nuestros productos cumplan con las normas de calidad y resistencia que nuestros clientes requieren. Utilizamos las mejores materias primas y constantemente creamos nuevos diseños de modelos adaptados a las últimas tendencias en arquitectura interior. La garantía de calidad que ofrecemos en ALCALAGRES, es el complemento perfecto para aquellos proyectos donde el pavimento y revestimiento forman parte del diseño integral de la obra.

ALCALAGRES®
Porcelánico Integral

CONSTRUMAT BARCELONA
Palacio 6, Stand J-36

jakin

DESIGN: ABAD DISEÑADORES

Mosaic "Art East Map" by IRWIN Group (Eurocenter building in Ljubljana, Slovenia)
ón Vulcania; series Domotec (30x60 cm.), Medea (30x30 cm.), Génesis (45x45 cm.) gris, antracita y negro pulido

www.apavisaporcelanico.com

PROJECT DESIGN

☐ Monocalibre
☐ Microsellado
☐ Gran resistencia a la flexión (55-65 N/mm^2)
☐ Muy baja absorción (0,02%)
☐ Resistencia a los productos químicos
☐ Resistencia a las heladas
☐ Gran resistencia al desgaste

Visítenos en:
CEVISAMA del 4 al 8 de marzo (Valencia - Spain)
COVERINGS del 24 al 27 de marzo (Orlando - U.S.A.)
BATIMAT MOSBUILD del 4 al 9 de abril (Moscow - Russia)
IBF del 13 al 17 de abril (Brno - Czech Republic)
CONSTRUMAT del 26 al 31 de mayo (Barcelona - Spain)

APAVISA
PORCELANICO

Ctra. Castellón-San Juan de Moró, hm 7,5 · 12130 San Juan de Moro, Castellón-Spain
Tel (0034) 964 70 11 20 · Fax nacional 964 70 11 95 · Fax exportación (0034) 964 70 10 67 · E-mail apavisa@apavisaporcelanico.com · www.apavisaporcelanico.com

¿Por qué reducirla?
Ahora puedes imprimir la foto entera.

hp designjet 100

No pierdas la cabeza y ve a por toda la foto con la nueva y versátil impresora de color HP Designjet 100. Por el mismo precio de una impresora A2, ahora te puedes permitir una máquina que imprime tamaños de hasta A1+ (desde documentos generales de oficina hasta dibujos técnicos) desde tu escritorio. Todo ello con una brillante, nítida y excelente calidad de imagen, como sólo HP sabe hacer. Es asequible, fácil de usar y económica, con 4 cartuchos de tinta independientes, además, funciona con modos de impresión especiales para controlar el consumo de tinta. Así podrás imprimir todos tus documentos con tu propia impresora. Y, como es una HP, la excelente fiabilidad y el magnífico comportamiento vienen de serie.

• Gran versatilidad en tamaños desde A5 a A1+ • Funcionalidades de oficina: certificada por Microsoft® para Windows® 98, 2000 y XP • Capacidades específicas de CAD: incluye drivers AutoCAD™ • Fácil de usar • Admite una gran variedad de soportes de impresión: papel vegetal, normal, satinado, recubierto... hasta 300 gr./m2 • Con un diseño de sobremesa

La única impresora A1 por sólo 1.360€ PVR I.V.A. incluido

Para más información del producto y ofertas especiales para educación llama al 902 157 963 o visite www.designjet.hp.com

ERCO
www.erco.com

baliza lyra

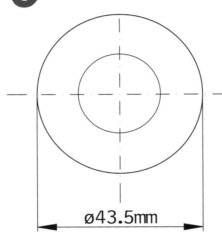

ø43.5mm

Foto tamaño real.

Una luminaria especialmente
apta, tanto para señalización
en ausencia de red como en
presencia de la misma.

- Aplicación de tecnología
  Led. Colores Led disponibles:
  blanco, azul, rojo, verde y
  ambar.

- Aro exterior con un grosor
  de 0.8 mm, en acero
  inoxidable. Acabados:
  grafito, inox, oro, cromo
  mate, cromo brillo y niquel

- Difusor opalino o
  transparente.

ILUMINACIÓN DE EMERGENCIA

DAISALUX, S.A.- Polígono Industrial Júndiz - C/Ibarredi, 4 Apdo. 1578 01015 VITORIA (España)
Tel. 0034/945 29 01 81 - Fax:0034/945 29 02 29 · E-mail: daisalux@daisalux.com · http://www.daisalux.com

Global Peace Containers

MVRDV

S333

Marte.Marte Architekten

Franc Fernàndez, Carles Puig, Xavi Vancells

José Miguel Roldán, Mercè Berengué

Felip Pich-Aguilera, Teresa Batlle

Iñaki Alday, Margarita Jover

AV62

Dethier & Associés

Archifactory.de

François Roche

Mamen Domingo, Ernest Ferré

Josep Llobet

Ábalos & Herreros

Willy Müller Arquitectos

JAMAICA Escuela primaria · Primary school

Global Peace Containers es una ONG dedicada a la reutilización de contenedores en desuso como viviendas de emergencia o equipamientos de bajo coste. Este proyecto fundacional, una escuela primaria, se construyó en las tierras altas de Jamaica, en la pequeña comunidad de Cross Keys, a unos 15 km de Mandeville. Los contenedores abandonados son muy abundantes en la isla. La escuela utiliza cuatro unidades de 6 x 2,5 m, dejando un espacio interior cubierto de 6 x 6 m entre ellos. El prototipo pretendía desarrollar, por un lado, la tecnología necesaria para reciclar los contenedo-

res como pequeños edificios para países en desarrollo y, por otro lado, fomentar la participación de los usuarios en el proceso constructivo. El coste, 1,2 $/m², es claramente inferior a los estándares de Jamaica, 5-6 $/m². En la actualidad, se trabaja para realizar las mejoras pertinentes desde el punto de vista del uso, sobre todo en relación al aislamiento y al aprovechamiento de la energía solar. ∎ Global Peace Containers is an NGO devoted to the reuse of old containers as emergency housing or low-cost facilities. The founding project, a primary school, was constructed in the small community of Cross

Keys in the Jamaican highlands, about 15 kilometres from Mandeville. There is no shortage of abandoned containers on the island. The school comprises two six-metre containers, creating an interior space of 6 x 6 metres. The prototype set out to develop the necessary technology to recycle containers as small buildings in developing countries and to encourage user-participation in the construction process. The cost, 1.2 $/m², is markedly lower than standard Jamaican costs of 5-6 $/m². Work is currently being done to make practical improvements, particularly as regards insulation and harnessing of solar energy.

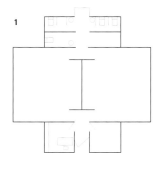  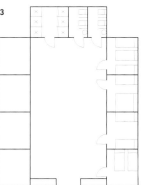

1. Escuela. Dos aulas, despacho, almacén y servicios. Cuatro contenedores de 6 x 2,5 m · School. Two classrooms, office, storage and toilets. Four 6 x 2.5 m containers. **2. Vivienda multifamiliar.** Tres habitaciones con cuarto de baño, sala de estar, cocina y lavadero comunes. Cuatro contenedores de 6 x 2,5 m · Multi-family housing. Three bedrooms with bathroom and common living room, kitchen and laundry. Four 6 x 2.5 m containers. **3. Dormitorios para trabajadores.** Cinco contenedores de 6 x 2,5 m · Dormitory housing for workers. Five 6 x 2.5 m containers.

1

2

3

Planta segunda · Second floor plan   Planta primera · First floor plan   Planta baja · Ground floor plan
Escala · Scale 1:300

LOCALIZACIÓN · LOCATION: **CROSS KEYS, JAMAICA**
Proyecto · Design date: **1999**
Ejecución · Completion date: **2000**
Promotor · Client: **Diócesis católica de Mandeville** · Catholic Diocese of Mandeville
Coste · Cost: **12 $ por pie cuadrado** · per square foot
Arquitectos · Architects: Richard J. L. Martin, Global Peace Containers
Colaboradores · Collaborators: Ciudadanos de Cross Keys, Diócesis de las hermanas de Mandeville · Citizens of Cross Keys, Sisters of Mandeville Diocese
Constructor · General contractor: Osbourne Grant
Fotografías · Photographs: Richard Martin
Otros · Others: Soren Ludwig, Allyson Decatur, Charles Petrokopolos, Russell Jackson de Global Peace Containers, Robert Nation (welder) de Mandeville, Nicholas Grant, Michael Grant

WATERWIJK Hageneiland

En la gran conurbación urbana del Ranstaad, entre Delf y La Haya, Ypenburg es un suburbio de 340 hectáreas construido dentro del programa Vinex (ver *Quaderns* 228) sobre una antigua base aérea. El plan general, que fue dirigido por Frits Paalboom y que contempla la edificación de doce mil viviendas, se subdividió en varios proyectos que van desde planteamientos claramente pintoresquistas hasta estrategias que tratan de evitar el cliché suburbano y proponen, en la medida de lo posible, una cierta imagen de continuidad del espacio público y de la edificación. MVRDV desarrolló la zona de Waterwijk, un área en la que se plantea una importante restricción del uso del automóvil privado y que, paralelamente, incorpora una tupida red de canales artificiales. El proyecto para esta área se divide a su vez en varios subsectores de entre dos y ocho hectáreas, y de entre 50 y 250 casas. Estos subsectores funcionan como islas en las que MVRDV desarrolla una propuesta de urbanización diferenciada como si se tratase de un muestrario extensivo de soluciones: casas en hilera, casas pareadas, casas alrededor de un patio comunitario, una organización compacta de casas con patio, etc. El primer subsector cuya construcción ha sido completada es el de Hageneiland, donde se plantea una revisión en clave irónica del contexto suburbano y una crítica a la proliferación de las relecturas abstractas del modelo tradicional de la vivienda. El proyecto consiste en una reiteración del icono de la casa con jardín en la que los distintos materiales constructivos, en lugar de combinarse en una misma casa, se asignan de forma única a cada una de las viviendas, de modo que el barrio se convierte en un agregado heterogéneo de casas homogéneas. ∎ In the large urban conurbation of the Ranstaad, between Delft and the Hague, Ypenburg is a 340-hectare suburb built as part of the Vinex programme (see *Quaderns* 228) on the site of an old airforce base. The general plan, which was directed by Frits Paalboom and envisages the construction of twelve thousand homes, was subdivided into several projects ranging from the markedly picturesque to strategies that aim to avoid the suburban cliché and put forward, as far as possible, an image of continuity of public space and urban fabric. MVRDV worked on the Waterwijk zone, an area where major restrictions on the use of private vehicles are envisaged, along with the incorporation of a dense canal network. The project for this area is in turn further divided into several subsectors of two to eight hectares, and 50 to 250 houses. These subsectors function like islands for which MVRDV propose different kinds of urban development, like an extensive sample book of solutions: row houses, semidetached houses, houses built around a communal patio, a compact organisation of patio houses, etc. The first subsector to be completed is Hageneiland, an ironic revision of the suburban context and a critique of the proliferation of abstract reinterpretations of the traditional housing model. The project consists of the repetition of the house-with-garden icon in which the various construction materials, rather than being combined in a single house, are assigned singly to just one house, turning the neighbourhood into a heterogeneous aggregate of homogeneous houses.

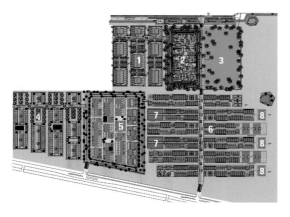

Emplazamiento · Site plan I Escala · Scale 1:10.000 I ↓ S

1. Waterhoeve 1. Bosch Architects
Viviendas · Dwellings: 120
Superficie · Area: 2'5 ha
En construcción · Under construction

2. Patio Island. MVRDV
Viviendas · Dwellings: 44
Superficie · Area: 2 ha
Sin construir · Not built

3. Landingslaan. Claus & Kaan
Construido · Built

4. Waterhoeve 2. Hertzberger
Viviendas · Dwellings: 160
Superficie · Area: 3 ha
Sin construir · Not built

5. Hageneiland. MVRDV
Viviendas · Dwellings: 119
Superficie · Area: 3'5 ha
Construido · Built

6. Rietvelden. Claus & Kaan
Viviendas · Dwellings: 262
Superficie · Area: 7'5 ha
En construcción · Under construction

7. Villas. Kwan
En construcción · Under construction

8. Quattro Villa. MVRDV
Sin construir · Not built

LOCALIZACIÓN · LOCATION: **WATERWIJK, YPERNBURG, HOLANDA** · THE NETHERLANDS
Proyecto · Design date: 1998
Ejecución · Completion date: 2001
Promotor · Client: Amvest Vastgoed
Superficie · Area: 15.358 m²
Coste · Cost: 9.300.000 €
Arquitectos · Architects: MVRDV: Winy Maas, Jacob van Rijs, Nathalie de Vries, Renske van der Stoep, Bart Spee, Tom Mossel, Frans de Witte
Consultores · Consultants: ABT (estructura · structural engineers), Bureau Bouwkunde (consejeros de construcción · building advisors)
Fotografías · Photographs: Rob 't Hart

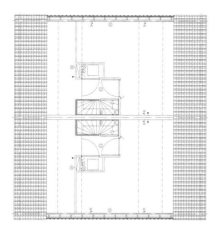

Planta segunda · Second floor plan

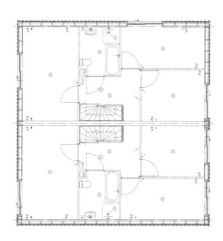

Planta primera · First floor plan

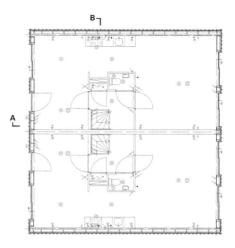

Planta baja · Ground floor plan **I** Escala · Scale 1:200

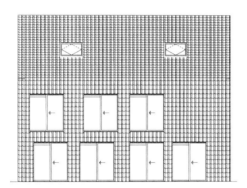

Alzado jardín · Garden elevation

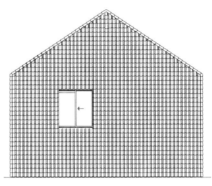

Alzado lateral · Lateral elevation

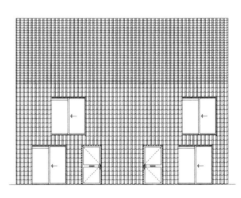

Alzado frontal · Front elevation

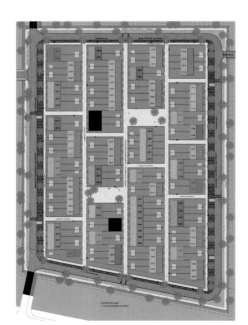

Emplazamiento · Site plan **I** Escala · Scale 1:3.000 **I** ↓ **S**

Sección · Section A

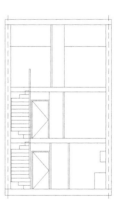

Sección · Section B

VIJFHUIZEN 56 viviendas · 56 dwellings

Las numerosas críticas que ha recibido el programa Vinex (programa subvencionado para la construcción de 700.000 viviendas en un periodo de diez años, la mayoría de ellas en barrios suburbanos) han contribuido a un replanteamiento de la política de vivienda en Holanda, que, en parte, se ha traducido en un desplazamiento del peso de la promoción de la iniciativa pública a la iniciativa privada, que se proclama más ágil para responder a las demandas de los consumidores. Sin embargo, en la medida en que un pequeño grupo de corporaciones mantiene la propiedad de prácticamente todo el suelo urbanizable del país, la oferta sigue estando controlada por pocas manos, con una producción muy por debajo de la demanda y precios elevados. El comprador de clase media no tiene más opción que pasar a engrosar largas listas de espera que conducen a viviendas muy estandarizadas. En respuesta a esta situación, se han planteado ciertas alternativas que, por ejemplo, tratan de desarrollar una mayor variedad tipológica. En particular, algunos jóvenes arquitectos colaboran con ciertos promotores para plantear estrategias de proyecto que permitan una mejor adaptación de las viviendas a las demandas de éstos en determinados procesos interactivos.

S333 ha estado ligado desde 1998 a un proyecto de 56 viviendas junto al pueblo de Vijfhuizen, que constituye la primera fase de un gran plan urbanístico para la construcción de 700 casas, de promoción municipal en el estadio original y privado en el desarrollo posterior. S333 planteó un modelo generativo neutral que pudiera actuar como mediador para posteriores estrategias de individualización. Se concibió el emplazamiento como un tablero de juegos activo, sobre la base de un sistema ordenado de reglas y limitaciones. El trabajo se inició con cuatro maquetas de casas prototípicas, diferenciadas por el tamaño y por la distribución interna, que fueron multiplicadas por el emplazamiento según una estrategia de «irregular regularidad», a fin de generar un sistema complejo de jardines delanteros, traseros y laterales. Sobre la base de ese proyecto general previo y de un cierta diferenciación tipológica que favorecía la selección por parte del usuario de una de las casas, se pasó, en una segunda fase, a un desarrollo más particularizado de las viviendas. En paralelo a este proceso de progresiva individualización, la forma y los materiales de las viviendas evolucionan desde un modelo elemental a una cierta heterogeneidad controlada. ∎ The many criticisms levelled at the Vinex programme (a subsidised programme for the construction of 700,000 homes over a ten-year period, mostly in suburban neighbourhoods) have contributed to a reconsideration of housing policy in Holland which, in part, has taken the form of a large-scale move from public to private initiative, ostensibly to provide a more agile response to consumer demands. However, insofar as practically all of the country's building land is now in the hands of a small group of corporations, supply continues to be controlled by the very few, with production levels far below demand and high prices. The middle-class house buyer has no alternative but to join long waiting lists leading to extremely standardised houses. In response to this situation, alternatives have been suggested in an attempt to develop greater typological variety. In particular, young architects are working with certain developers to come up with design strategies to enable greater adaptation by means of interactive processes.

Since 1998, S333 has been involved in a project for 56 homes near the village of Vijfhuizen, the first phase in a major urban development plan for the construction of 700 homes, under council auspices during the original phase and subsequently in the hands of a private developer. S333 designed a neutral generative model as a basis for subsequent individualisation strategies. The site was conceived as an active game board with an orderly system of rules and limitations. Work began with four models of prototype houses, differing in size and internal layout, which were multiplied across the site according to a strategy of 'irregular regularity' to generate a complex system of front, back and side gardens. Taking as a basis this initial general project featuring typological differences that led users to select one of the houses, the second phase centred on a more particularised development of the individual homes. Alongside this process of gradual individualisation, the forms and the materials of the houses evolve from an elementary model to a degree of controlled heterogeneity. / **JONATHAN WOODROFFE**

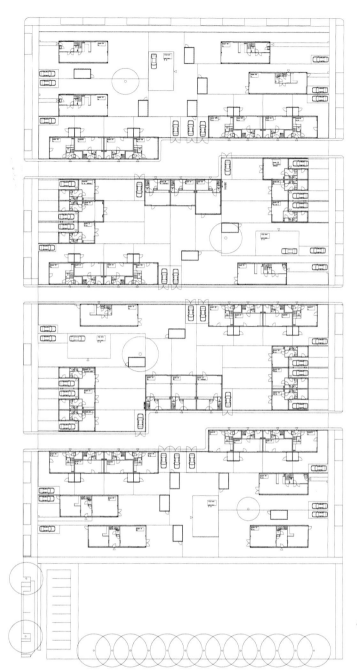

Planta · Ground floor plan **I** Escala · Scale 1:1.000

Concepto: casas como objetos elementales en un campo · Concept: houses as elementary objects in a field

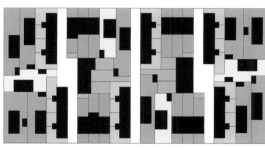

Subáreas: cuatro vecindarios de rentas diferentes · Subplots: four neighbourhoods of mixed price categories

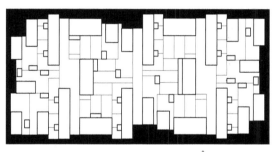

Líneas constructivas de fachada heterogéneas · Jumping building lines

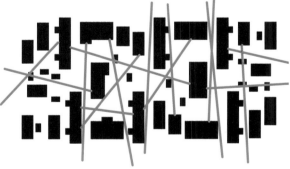

Apertura a través del uso de diagonales de visión · Openess through the use of diagonal views

Esquemas · Schemes

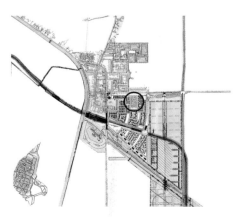

Emplazamiento · Site plan **I** Escala · Scale 1:50.000 **I** ↘ **S**

Amsterdam
Vijhuizen

LOCALIZACIÓN · LOCATION: **VIJFHUIZEN, HOLANDA** · THE NETHERLANDS
Proyecto · Design date: 1998-2001
Ejecución · Completion date: **fase** · phase 1, 2003; **fase** · phase 2, 2004
Promotor · Client: **Ayuntamiento de Haarlemmermeer** · Municipality of Haarlemmermeer
Superficie · Area: **1,2 ha**
Coste · Cost: **5.700.000 €**
Arquitectos · Architects: S333 Architecture + Urbanism: Burton Hamfelt, Chris Moller, Dominic Papa, Jonathan Woodroffe
Colaboradores · Collaborators: Elsa Caetano, Kees Draisma, Stig Gothelf, Gimill Mual, Zvonimir Prlic, Jacob Sand, Fabien van Tomme, Francesca Wunderle
Consultores · Consultants: Constructie Advies Bureau Steens BV (ingenieros · engineers), Bureau Alle Hosper (paisajismo · landscape architect), Atelier Zienstra van der Pol (urbanismo · urban plan)
Constructor · General contractor: Thunnissen Bouw BV
Fotografías · Photographs: S333

FUSSACH Casa-barco · Boat-house

Fussach en Vorarlberg es un puerto deportivo construido en los años 60, en el que los canales artificiales se intercalan con una improvisada colonia de casas-barco, creando un paisaje que, según los arquitectos, parece surgido de la imaginación de Peter Fritz. El proyecto plantea una relectura del cliché pintoresquista mediante un proceso de abstracción de la forma prefijada por la normativa: altura, distancia a lindes, tipo de cubierta, etc. La actividad del cliente, un fabricante de componentes para camiones, se extiende a la casa en lo que se refiere tanto a los materiales como a la tecnología constructiva: la piel de aluminio o una serie elementos móviles como una escalera que se levanta y desaparece o una cubierta que se abre mediante un sistema hidráulico para convertir la buhardilla en una azotea soleada. Desde ese espacio, el más alto de la casa, se despliega una panorámica del lago Constanza, que, más que un paisaje bucólico, conforma a su alrededor un muestrario de casas de todo tipo: chalés rústicos, *bungalows* turísticos, cajas abstractas y voluminosos almacenes para barcos. | Fussach in Vorarlberg is a marina built in the 1960s, its canals dotted with an improvised colony of boat-houses, creating a landscape which, according to the architects, could be a product of the imagination of Peter Fritz. The project is a reinterpretation of the picturesque cliché by means of a process of abstraction of the forms stipulated by regulations: height, distance from boundaries, roof type, etc. The profession of the client, a manufacturer of truck parts, is extended to his house through the choice of materials and the construction technology used: the aluminium skin, a series of moving features such as a stairway which lifts and disappears, a roof that opens by means of a hydraulic system to turn the attic into a sun terrace. This space, the house's highest, offers a panoramic view of Lake Constance; more than a bucolic landscape, it displays a collection of houses of every kind: rustic chalets, holiday bungalows, abstract boxes and voluminous boathouses.

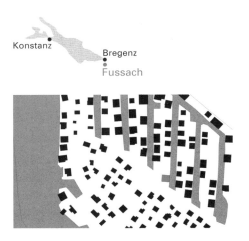

Emplazamiento · Site plan | Escala · Scale 1:5.000 | ↓ S

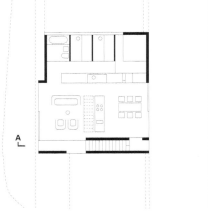

Planta primera · First floor plan

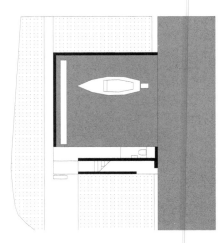

Planta baja · Ground floor plan | Escala · Scale 1:300

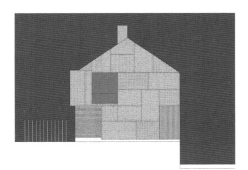

Alzado sur · South elevation

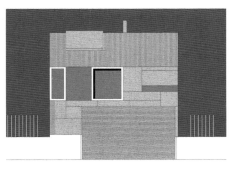

Alzado este · East elevation

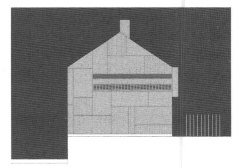

Alzado norte · North elevation

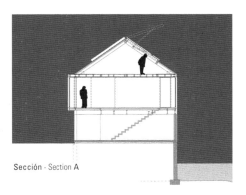

Sección · Section A

Alzado oeste · West elevation

LOCALIZACIÓN · LOCATION: **FUSSACH, AUSTRIA**
Proyecto · Design date: 1999
Ejecución · Completion date: 2000
Promotor · Client: **Familia Steinhauser** · The Steinhauser family
Superficie · Area: **85 m²**
Arquitectos · Architects: **Marte.Marte Architekten**
Colaboradores · Collaborators: Bernhard Marte,
Robert Zimmermann (dirección de proyecto · project management),
René Bechter, Davide Paruta, Alexandra Fink, Stefan Baur
Consultores · Consultants: M+G Ingenieure (estructura · structure)
Constructor · General contractor: Thunnissen Bouw BV
Fotografías · Photographs: Albrecht Schnabel

BELLATERRA Casa unifamiliar · Single-family house

Franc Fernández, Carles Puig, Xavi Vancells

La vivienda se encuentra en Bellaterra, una zona residencial de la periferia de Barcelona conectada al centro de la ciudad mediante una importante red de infraestructuras que facilita la comunicación y la urbanización de una comarca, el Vallès, con un gran valor natural y paisajístico. Las características topográficas y el entorno natural del emplazamiento aportan a la vivienda unas vistas excelentes. Se plantea un volumen neutro de 2,5 m de largo, 8 m de ancho y 5,5 m de alto que se relaciona con el exterior mediante dos cajas que definimos espacios intercambiadores. Por un lado, se encuentra el intercambiador infraestructural, una caja de vidrio, al cual se accede en coche y que relaciona la red viaria con el espacio doméstico (una valla de autopista finaliza la

secuencia infraestructural en el interior de la vivienda). Y por otro lado, se halla el intercambiador paisajístico, una caja de vidrio y madera que conforma la vivienda y relaciona el espacio doméstico con el paisaje del Vallès. La diferente orientación y disposición espacial de ambos elementos permite el desarrollo de estrategias pasivas de ahorro energético. La vivienda se halla revestida de una reja metálica por donde trepará la vegetación. **I** This house is situated in Bellaterra, a residential zone on the outskirts of Barcelona, connected with the city centre by a major network of infrastructures that facilitates communication and the urban development of El Vallès, a region of great natural value and beauty. The topographic characteristics and the natural setting of the site provide the

house with excellent vistas. This is a neutral volume, 25 metres long by 8 wide and 5.5 high, that is related to the exterior by two boxes that we have defined as interchange spaces. The first, a glass box, is an infrastructure interchanger for vehicle access, and relates the road network with the domestic space (the infrastructure sequence ends with a motorway barrier inside the house). The second, a glass and timber box, is a landscape interchanger that configures the house and relates the domestic space to the landscape of El Vallès. The specific orientation and spatial arrangement of the two elements were chosen to enable the use of passive energy-saving strategies. The house is clad with a metal trellis over which vegetation will grow.

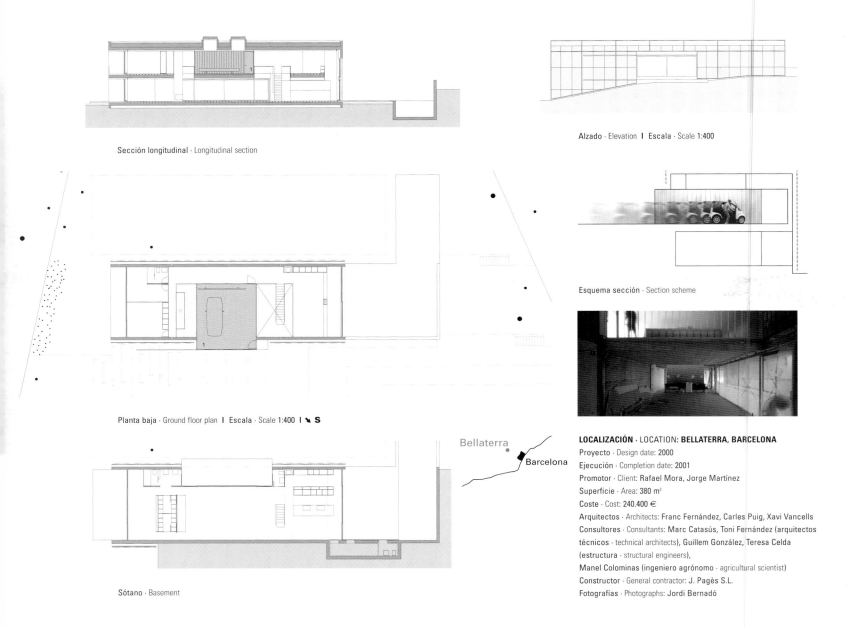

Sección longitudinal · Longitudinal section

Planta baja · Ground floor plan **I** Escala · Scale 1:400 **I ↘ S**

Sótano · Basement

Alzado · Elevation **I** Escala · Scale 1:400

Esquema sección · Section scheme

Bellaterra

Barcelona

LOCALIZACIÓN · LOCATION: **BELLATERRA, BARCELONA**
Proyecto · Design date: 2000
Ejecución · Completion date: 2001
Promotor · Client: Rafael Mora, Jorge Martínez
Superficie · Area: 380 m²
Coste · Cost: 240.400 €
Arquitectos · Architects: Franc Fernández, Carles Puig, Xavi Vancells
Consultores · Consultants: Marc Catasús, Toni Fernández (arquitectos técnicos · technical architects), Guillem González, Teresa Celda (estructura · structural engineers),
Manel Colominas (ingeniero agrónomo · agricultural scientist)
Constructor · General contractor: J. Pagès S.L.
Fotografías · Photographs: Jordi Bernadó

BELLATERRA Casas m&m · m&m houses

José Miguel Roldán, Mercè Berengué

Estaba esa escultura de Joel Shapiro de 1974, *Untitled*: un perfil de bronce simulando un terreno artificial en forma de L atornillado por una de las puntas a la pared de la sala de exposiciones y, sobre ese balcón volado, una pieza de hierro negro, pequeña y pesada, que describe el icono de una casa de cubierta a dos aguas. Las casas m&m toman la escultura de Shapiro como punto de partida, en particular, la interpretación del soporte. El proyecto se remonta a 1999. Tres arqueólogos, profesores de la Universitat Autònoma de Catalunya, que llevaban varios años compartiendo vivienda querían hacerse una casa. Desde los laboratorios de Bellaterra veían la riera de Malena, un espacio natural protegido, y, algo más allá, algunas casas entre los pinos. Les acompañamos en la elección del solar y decidimos construir no una, sino dos casas que compartiesen una franja de bosque: un corredor de 10 m de ancho al que miran los balcones de ambas.

Las casas están situadas sobre sendas plataformas, concebidas como mesas, que definen la cota cero del proyecto y que solucionan la fuerte pendiente del solar. Bajo las mesas están los aparcamientos, los talleres y los depósitos de agua de lluvia. Sobre las mesas, las viviendas. Ambas tienen dos plantas y se sitúan con los balcones a doble altura mirándose el uno al otro. La casa m1, para una pareja y su hijo pequeño. La casa m2, para un profesor que pasa largas temporadas fuera de Barcelona y alquila eventualmente partes de la casa a otros profesores. ∎

A sculpture by Joel Shapiro from 1974, *Untitled*, a bronze profile simulating an artificial L-shaped terrain, was screwed by one end to the gallery wall; resting on this projecting balcony was a small, heavy piece of black iron, describing the icon of a house with a ridge roof. m&m houses take Shapiro's sculpture as their departure point, particularly with regard to their interpretation of the support. The project dates back to 1999.

Three archaeologists, lecturers at the Autonomous University of Barcelona who had lived together for several years, wanted to have a house built. Their laboratories in Bellaterra overlooked the Malena stream, a protected natural space, and a few houses among some pine trees just beyond it. We helped them to choose the site and decided to build not one but two houses sharing a strip of woodland: a 10-metre wide stretch overlooked by the balconies of the two houses. Each house is situated on a table-like platform that marks the grade line of the project and creates a level surface on the steeply sloping site. The parking spaces, workshops and rainwater collection tanks are constructed beneath the two tables, on which the houses are built. The two homes each have two storeys and are situated with their double-height balconies facing each other: m1, for a couple and their child, and m2, for an academic who is often away from Barcelona and sometimes rents out part of the house to colleagues.

Joel Shapiro: *Untitled*, 1974

Maqueta · Model

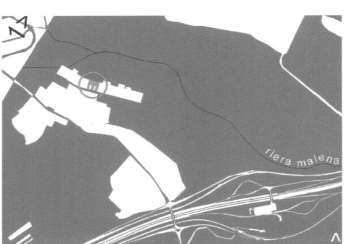

Emplazamiento · Site plan I Escala · Scale 1:20.000 I ↓ S

Bellaterra
Barcelona

LOCALIZACIÓN · LOCATION: **BELLATERRA, BARCELONA**
Proyecto · Design date: 1999
Ejecución · Completion date: 2001
Promotor · Client: Rafael Mora, Jorge Martínez
Superficie · Area: 585 m²
Coste · Cost: 240.400 €
Arquitectos · Architects: José Miguel Roldán, Mercè Berengué
Colaborador · Collaborator: Vinceç Sanz
Consultores · Consultants: Toni Floriach (arquitecto técnico · technical architect),
David García (estructura · structural engineers)
Constructor · General contractor: Domínguez Gordillo S.L.
Fotografías · Photographs: Eva Serrats

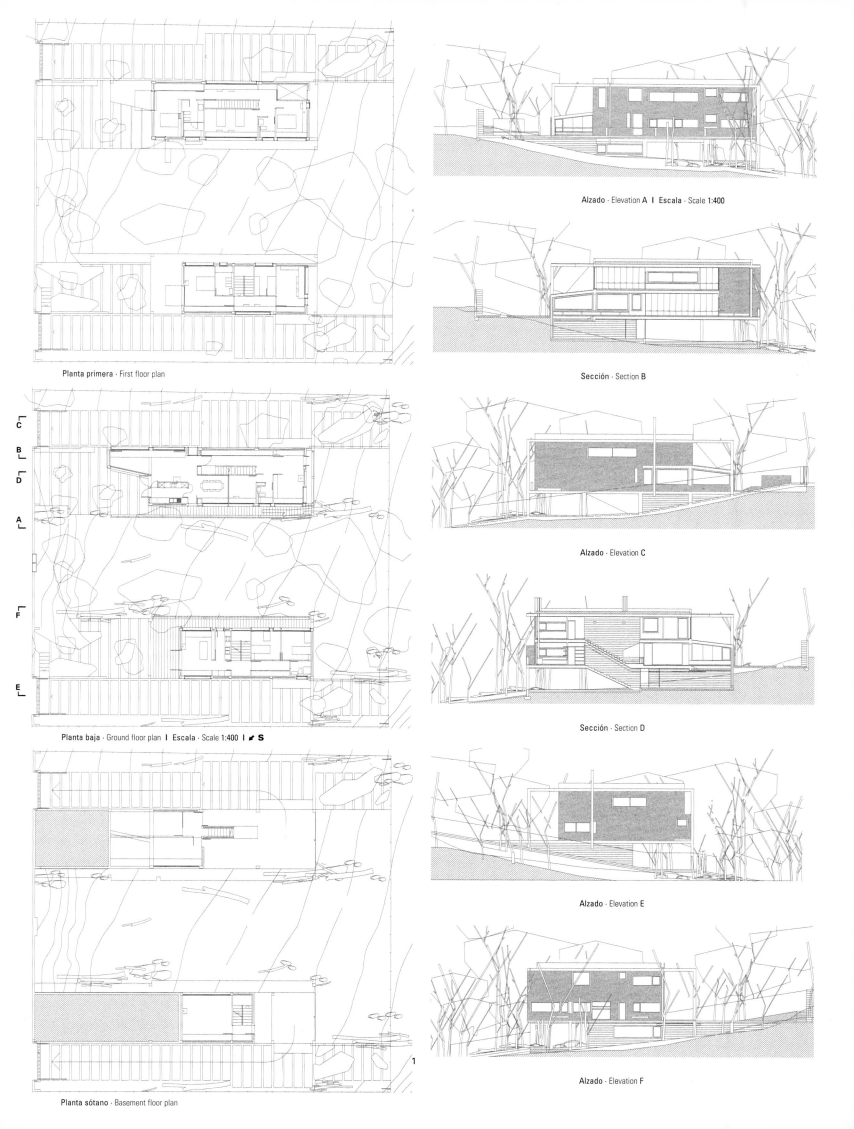

Planta primera · First floor plan

Alzado · Elevation A I Escala · Scale 1:400

Sección · Section B

Alzado · Elevation C

C
B
D
A
F
E

Planta baja · Ground floor plan I Escala · Scale 1:400 I ✔ S

Sección · Section D

Alzado · Elevation E

Planta sótano · Basement floor plan

Alzado · Elevation F

1

COLLSEROLA Casa unifamiliar · Single-family house

Felip Pich-Aguilera, Teresa Batlle

Situada en Barcelona, entre la zona urbana y el parque metropolitano de Collserola, la casa actúa como frontera entre la ciudad y la naturaleza, y esto se traslada al proyecto. La ocupación se concibe como una infiltración más que como una superposición. Por un lado, la fachada principal configura la calle y proporciona a la vivienda un aspecto urbano; por otro lado, la casa se introduce en el terreno y se confunde con el paisaje. El proyecto desarrolla un amplio programa bioclimático que influye en todas las decisiones: la relación con el terreno, el diseño de la cubierta, de las ventilaciones cruzadas, de las protecciones solares exteriores, la elección de materiales y sistemas de construcción de bajo consumo ener-

gético, etc. De entre las diferentes estrategias planteadas, cabe destacar la cubierta aljibe vegetal, que almacena el agua de lluvia que posteriormente es utilizada para los sanitarios y el riego del jardín. Aparte del ahorro en el consumo, el agua almacenada aumenta la inercia térmica de la cubierta y reduce el gasto energético de la vivienda. La cubierta vegetal crea, asimismo, una continuidad visual con el paisaje inmediato. ∎ Situated in Barcelona, between the urban centre and the metropolitan park of Collserola, the house marks the frontier between city and nature, a feature that is picked up by the project. Occupation is seen as infiltration rather than superposition. While the main street facade gives this home an

urban frontage, the house is actually set into the terrain and merges with the landscape. The project has a full bioclimatic agenda that affects every aspect: the relationship with the plot; the design of the roof, cross ventilation and sunshading; the choice of materials and low energy-consumption construction systems, etc. One of the most significant design strategies is the plant-covered roof with its water tank for storing rainwater which is then used to flush the toilets and water the garden. As well as the reduced consumption of resources this represents, the stored water increases the thermal inertia of the roof and cuts back on energy spending. The plant-covered roof also creates visual continuity with the surrounding landscape.

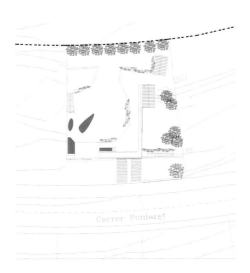

Planta de cubierta · Roof plan Ι Escala · Scale 1:500 Ι ↙ S

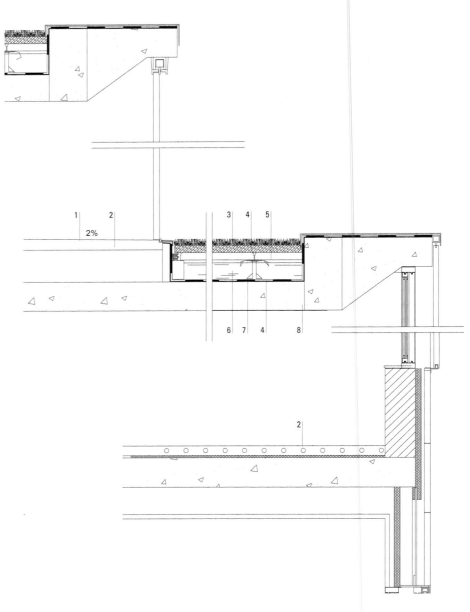

1. Pavimento industrial, cemento tintado · Industrial flooring, tinted cement
2. Hormigón ligero · Light-weight concrete
3. Sustrato · Substratum
4. Feltemper 300 · Feltemper 300 roofing felt
5. Losa «Filtron» · Filtron slab
6. Agua · Water
7. Rhenofol CG · Rhenofol CG reinforced membrane
8. Forjado · Floor-ceiling structure
9. Celenit · Celenit insulation panels

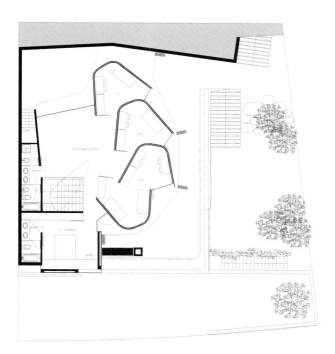

Planta segunda · Second floor plan

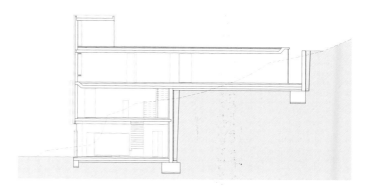

Sección · Section A | Escala · Scale 1:300

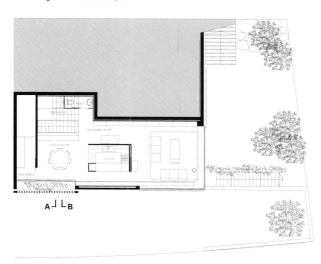

A⌐L⌐B

Planta primera · First floor plan

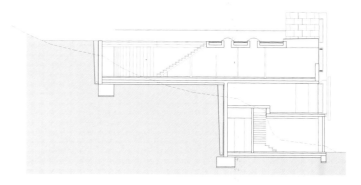

Sección · Section B

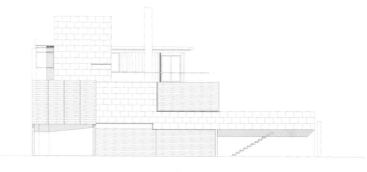

Alzado · Elevation

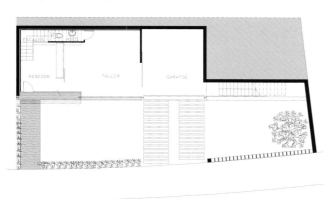

Planta baja · Ground floor plan | Escala · Scale 1:300 | ↙ S

Collserola
Barcelona

LOCALIZACIÓN · LOCATION: BARCELONA
Proyecto · Design date: 1999
Ejecución · Completion date: 2001
Arquitectos · Architects: Felip Pich-Aguilera, Teresa Batlle
Colaborador · Collaborator: Bruno Sauer (jefe de proyecto · project manager)
Consultores · Consultants: MS enginyers (coordinación de obra · site management),
Intemper S.A. (cubiertas ecológicas · ecological roofs), Cerámicas del Ter -
Guiraud Freres (materiales cerámicos · ceramic materials)
Fotografías · Photographs: Jordi Bernadó

TERRASSA Casa S-T · S-T house

Iñaki Alday, Margarita Jover

Torresana, donde se sitúa el proyecto, es un barrio de la periferia de Terrassa con una mayoría de casas autoconstruidas (como lo es en parte ésta), salpicado de patios, solares vacíos, caravanas en depósito y almacenes, lo que forma un paisaje discontinuo en el que predominan las paredes medianeras. El solar tiene 13,5 m de ancho, el doble de la crujía habitual en este tipo de casas en Terrassa. El programa de la vivienda, para una pareja joven con dos hijos, se distribuye en dos plantas y el espacio bajo la cubierta. Comparte jardín en el interior de manzana con otras dos casas familiares y enfrenta su fachada sur a una casa situada al otro lado de una calle de 6 m de ancho. Las cuatro decisiones principales de proyecto son: trasladar la planta baja de un programa convencional al nivel de planta primera, permitiendo que las habitaciones participen de los espacios exteriores; desplazar los dos volúmenes correspondientes a ambas crujías a fin de crear unos patios; solventar el requerimiento de la cubierta inclinada y la buhardilla extendiendo dos lienzos de cobre que se curvan y ondulan para recoger el espacio bajo la cubierta y descienden por la parte posterior hasta cerrar la fachada norte; destinar la parte principal del presupuesto a la estructura y a la cubierta, ahorrando en el resto (fachadas de estuco de Portland o Betonite y acabados ejecutados por el mismo propietario a lo largo de un periodo dilatado). Con la deformación y la fragmentación de la envolvente, aparecen en el interior intersticios, residuos y rincones, el «antiloft». Cada espacio tiene al menos dos caminos para llegar a él y se relaciona con un ámbito de expansión propio: el dormitorio de la pareja con el estudio (hacia la sala de estar), la sala de juegos con el patio sur, el dormitorio de los hijos con el altillo, la cocina con el comedor y el patio, la sala de estar con los patios a norte y a sur. El cerramiento entre la sala y el patio sur está constituido por vidrios fijos y paneles opacos correderos; lo que se desplaza son, pues, las paredes. La estructura metálica y el tablero de DM quedan vistos al interior, las carpinterías exteriores son de madera cuperizada y durante algún tiempo los patios y el jardín estarán cubiertos con cantos rodados. La casa, una vez cerrada por el contratista, va siendo completada poco a poco en instalaciones, pintura y otros acabados por sus habitantes, ya instalados en ella. ∎ Torresana, where the project is situated, is a district on the periphery of Terrassa with a majority of self-constructed housing (as this one is in part), dotted with patios, empty plots, caravan storage and warehouses, forming a discontinuous landscape with a predominance of party walls. The site is 13.5 metres wide, twice the usual bay in this type of house in Terrassa. The housing programme, for a young couple with two children, is laid out over a ground and first floor and a space beneath the roof. It shares a garden in the centre of the street block with two other single-family houses and its south facade faces another house across a 6-metre wide street. The project is based on four main decisions: to move the conventional ground-floor programme to the first floor in order to communicate the bedrooms with outdoor spaces; to displace the two volumes corresponding to the bays in order to create patios; to solve the problem of the sloping roof and attic by means of two copper-clad surfaces that curve and fold to enclose the space beneath the roof and continue down the rear to enclose the north facade; to devote most of the budget to the structure and the roof, saving on the rest (facades of Portland cement stucco or Bentonite and finishes carried out by the owner over a period of time). The deformation and fragmentation of the envelope produce gaps, remnants and corners in the interior, an 'anti-loft'. There are at least two ways to get to every space, each of which communicates with its own overflow area: the master bedroom with the studio (moving towards the living room), the playroom with the south patio, the children's bedroom with the loft, the kitchen with the dining area and patio, and the living room with the patios on the north and south sides. The facing between the living room and the south patio comprises fixed windows and opaque sliding panels; in this case, then, it is the walls that move. The metal structure and medium-density fibreboard are exposed on the inside, the exterior joinery is of copper-treated timber and for the foreseeable future the patios and the garden will be covered with pebbles. Once the contractor handed over the house, the owners moved in and have since gradually been complet-ing the installations, painting and other finishes.

Terrassa

Barcelona

LOCALIZACIÓN · LOCATION: **TERRASSA, BARCELONA**
Proyecto · Design date: 1999
Ejecución · Completion date: 2001
Promotor · Client: Luís Salmerón, Nuria Torrella
Superficie · Area: 310 m²
Coste · Cost: 162.000 €
Arquitectos · Architects: Iñaki Alday, Margarita Jover
Colaboradores · Collaborators: Montse Escorsell, Anna Planas (arquitectas · architects), Nicolás Ros (arquitecto técnico · technical architect)
Consultores · Consultants: David García (estructura · structural engineers)
Constructor · General contractor: Emilio Félix
Fotografías · Photographs: Jordi Bernadó

Emplazamiento · Site plan **|** Escala · Scale 1:1.000 **| ↘ S**

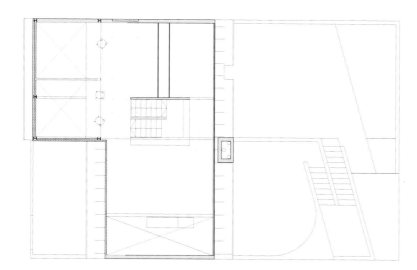

Planta segunda · Second floor plan

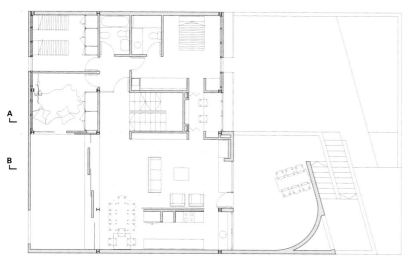

Planta primera · First floor plan

A

B

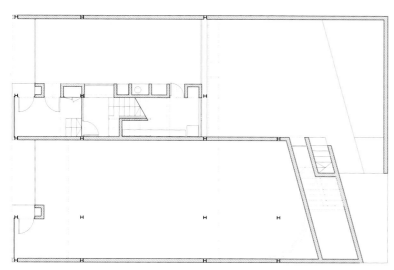

Planta baja · Ground floor plan I Escala · Scale 1:200

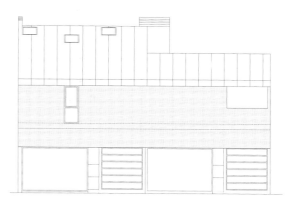

Alzado sur · South elevation

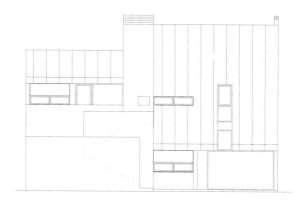

Alzado norte · North elevation

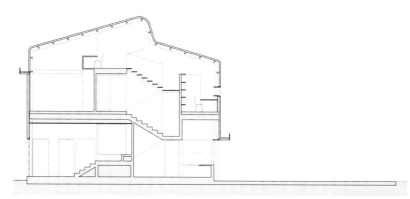

Sección · Section A I Escala · Scale 1:200

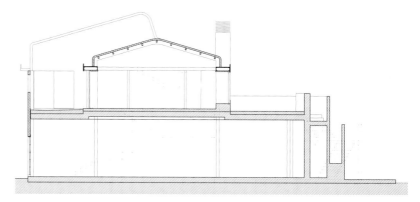

Sección · Section B

El proyecto consiste en dos viviendas unifamiliares independientes situadas en una ladera de fuerte pendiente, orientada a sur y con vistas inmejorables a la ría y el valle de la localidad vizcaína de Plentzia. En un entorno en el que conviven con evidente malestar muy diferentes lenguajes arquitectónicos de distintas épocas y lugares, optamos, cobardemente, por no enfrentarnos a la resolución del problema tipológico de lo que debe ser la vivienda unifamiliar aislada en el País Vasco. La topografía, el respeto por un entorno natural privilegiado y la dificultad de acceso desde la carretera (cuya cota es más elevada que la de la parcela) nos lleva a plantear dos volúmenes semienterrados compuestos por tres planos de forjado limitados a este y oeste por dos muros de contención y totalmente abiertos en la cara sur. El forjado superior constituye la cubierta, un plano ajardinado en el que se deposita el elemento más visible de la vivienda, el garaje. Se evidencia de esta forma expresamente retórica la importancia del coche en la colonización de este revalorizado entorno natural. Desde la cubierta y a través de un patio central se accede a la zona de día de la vivienda: sala de estar, comedor y cocina. En la planta inferior se encuentran los dormitorios y servicios. En ambas plantas se construye una amplia terraza exterior; dos espacios que, debido a la pendiente del terreno, concentran la relación con el paisaje. ∎ This is a project for two independent single-family homes on a steeply sloping, south-facing hillside with fabulous views of the estuary and valley in the village of Plentzia in the province of Biscay. In a setting where a whole range of architectural languages from various times and places exist side by side in uneasy vicinity, we faint-heartedly declined the challenge of finding a solution to the typological problem of the isolated single-family house in the Basque Country. The topography, the wish to respect a splendid natural setting and the difficulty of access from the main road (on a higher level than the parcel) led us to design two semi-sunken, three-floor volumes bounded to the east and west by retaining walls and completely open on their south facades. The top floor constitutes a flat landscaped roof, on which the garage, the house's most visible feature, is situated. This deliberately rhetorical solution demonstrates the importance of the car in the colonisation of this revalued natural setting. A central patio leads down from the roof to the living area: lounge, dining room and kitchen. The bedrooms and bathrooms are on the lowest floor. Both of these floors are provided with large terraces, spaces which, due to the slope of the site, serve to concentrate the relationship with the landscape.

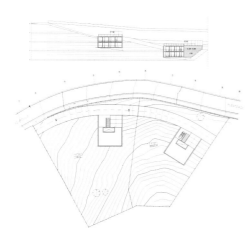

Entrada · Entrance

Emplazamiento · Site plan I Escala · Scale 1:2.000 I ↙ S

LOCALIZACIÓN · LOCATION: PLENTZIA, VIZCAYA
Proyecto · Design date: 2001
Ejecución · Completion date: 2003
Promotor · Client: Promociones Sendejaberri
Superficie · Area: 350 m²
Coste · Cost: 720.000 €
Arquitectos · Architects: AV62: Toño Foraster, Victoria Garriga
Colaboradores · Collaborators: Guillermo Luna, María Pons, Gemma Serch
Consultores · Consultants: Eskubi-Turró (estructura · structural engineers), PFP (diseño gráfico · graphic design)
Constructor · General contractor: Promociones Sendejaberri
Fotografías · Photographs: AV62

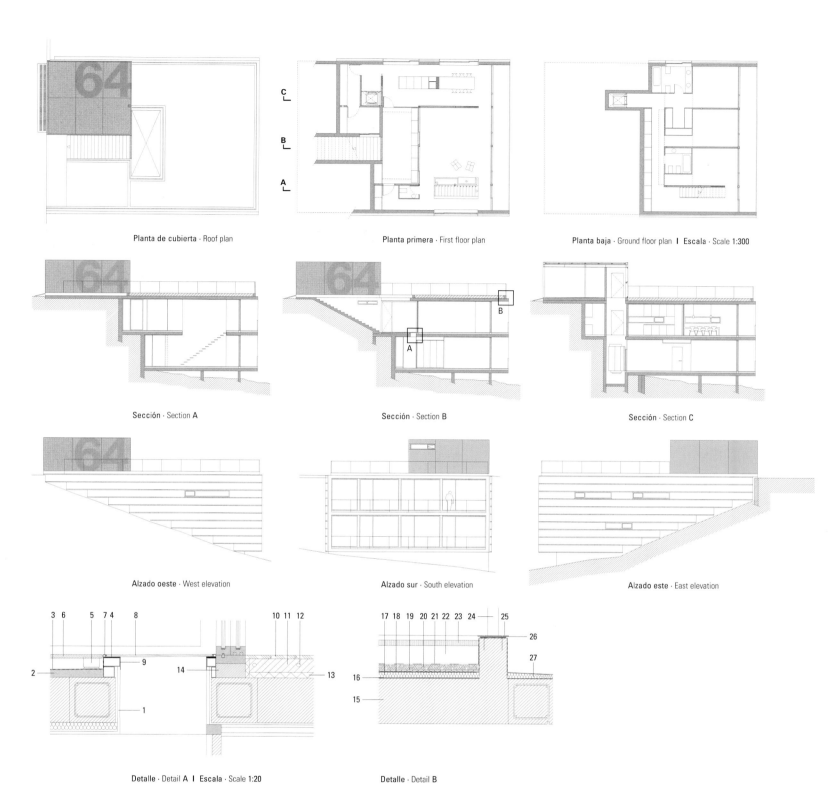

Planta de cubierta · Roof plan   Planta primera · First floor plan   Planta baja · Ground floor plan I Escala · Scale 1:300

Sección · Section A   Sección · Section B   Sección · Section C

Alzado oeste · West elevation   Alzado sur · South elevation   Alzado este · East elevation

Detalle · Detail A I Escala · Scale 1:20   Detalle · Detail B

1. Trasdosado directo de pladur · Plasterboard surface **2.** Capa de formación de pendientes (mortero de cemento) · Layer of cement mortar forming slope **3.** Lámina impermeable de EPDM · Waterproof EPDM sheet **4.** Subestructura de soporte del lucernario, realizada con perfiles de acero laminado · Substructure to support the skylight, using laminated steel angles **5.** Soportes del pavimento flotante del patio · Supports for floating slab of the patio **6.** Pavimento flotante de piedra · Stone floating slab **7.** Carpintería de acero · Steel door and window frames **8.** Lucernario longitudinal, cerrado con cristal transparente laminado (6+6 mm) · Longitudinal skylight, with transparent laminated glass (6+6 mm) **9.** Pletinas metálicas soldadas a la subestructura inferior del lucernario · Metal plates welded to the lower substructure of the skylight **10.** Tarima encolada de madera de teka · Teak flooring **11.** Capa de mortero · Layer of mortar **12.** Tubo de polietileno · Polyethylene tubing **13.** Plancha de poliestireno expandido con barrera de vapor integrada en la cara inferior · Expanded polystyrene sheet with vapour barrier incorporated on lower side **14.** Elemento de obra (cerámica) para alojar la carpintería · Masonry feature (ceramic) to house joinery **15.** Losa de hormigón armado e = 25 cm · Reinforced concrete slab, 25 cm thick **16.** Barrera de vapor · Vapour barrier **17.** Aislamiento térmico de poliestireno extruido e = 3 cm · Thermal insulation of extruded polystyrene, 3 cm thick **18.** Lámina impermeable de EPDM · Waterproof EPDM sheet **19.** Lámina de protección antirraíces (geotextil) · Anti-root protection (geotextile) **20.** Capa de drenaje de grava · Gravel drain **21.** Capa filtrante (geotextil) · Drainage mat (geotextile) **22.** Substrato de tierra vegetal e = 4 cm · Substratum of topsoil, 4 cm thick **23.** Capa de vegetación · Layer of vegetation **24.** Barandilla de acero · Steel railing **25.** Fijaciones de acero inoxidable para anclaje de las pletinas al muro · Stainless steel attachments to anchor plates to the wall **26.** Pletinas de acero, soporte de barandilla · Steel plates to support railing **27.** Chapa de zinc · Zinc sheet

JEHANSTER Casa unifamiliar · Single-family house

El mercado de la vivienda unifamiliar en Bélgica es prácticamente un monopolio de las empresas de construcción de chalets «llaves en mano». El producto «casa de cuatro fachadas» constituye una caricatura de la casa tradicional que, con ladrillos reciclados, tejas de hormigón prefabricadas y vigas envejecidas, reproduce pseudotorreones, tragaluces y contraventanas atornilladas a la fachada y decoradas con farolillos. Considerados de forma aislada, estos casos resultan ridículos, pero generalizados constituyen una auténtica plaga que inunda hasta la más pequeña de las áreas urbanizadas. Con una gran inversión en publicidad, los promotores inmobiliarios alientan esta extendida falta de cultura que tantos beneficios económicos les proporciona. No existe ninguna preocupación ecológica en relación a la gestión de la energía. Cuanto más contaminantes son los métodos constructivos utilizados, más desechos se entierran bajo los edificios. Tampoco hay un interés por adaptarse a las necesidades contemporáneas.

Esta casa es una alternativa aislada a esta situación. Utiliza tecnologías contemporáneas: doble vidrio, acero, cubierta ajardinada o ventilación mecánica, con el fin de configurar una vivienda económica de reducidas dimensiones adaptada a la forma de vida actual y respetuosa con el medio ambiente. El edificio, completamente prefabricado, se instaló en medio de un huerto. Para optimizar el aprovechamiento del espacio se recuperaron soluciones antiguas como la alcoba: el dormitorio principal tiene solo 4 m² y parece una prolongación de la biblioteca, de la que puede separarse mediante un panel deslizante. Se emplearon soluciones técnicas sencillas como la colocación de unos cables por los que trepan las enredaderas delante del ventanal sur, con el fin de evitar el sobrecalentamiento en verano. ∎ The market for single-family housing is almost entirely monopolised by the turnkey companies. The "four-facade house" product is a caricature of the traditional housing model in which recycled bricks, concrete roofing tiles and old beams are used to produce pseudoturrets, skylights and shutters screwed to the facades and decorated with lights. Taken individually these achievements are laughable, but when generalised they become a real plague that corrupts even the smallest urbanised area. With their advertising hype, estate agents foster this widespread lack of culture which produces so much profit for their sector. Here, there is no ecological thought for energy and the more polluting the construction methods used, the more waste is buried under the buildings. Nor does this model make any attempt to adapt to present-day lifestyles.

The single-family house presented offers an isolated alternative to this situation. It uses contemporary technologies such as insulated glass, steel, gardened roofs, mechanical ventilation and so on to produce affordable housing with today's smaller surface areas, adapted to new lifestyles and respectful of the environment. This entirely prefabricated building was assembled in the middle of an orchard. To cut down on the necessary living space, old solutions such as placing a bed in an alcove have been employed; the master bedroom measures just four square metres and looks like an extension of the library area, from which it is partitioned by a sliding panel. Other simple technical solutions were used, such as stretching cables in front of the south-facing windows so that vines can be trained over them to prevent overheating during the summer months.

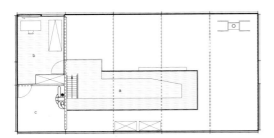

Planta primera · First floor plan

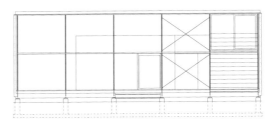

Alzado este · East elevation

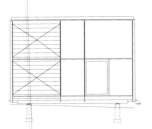

Alzado norte · North elevation

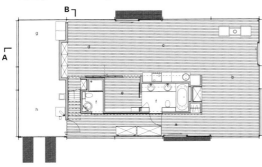

Planta baja · Ground floor plan ∣ Escala · Scale 1:300 ∣ ➜ **S**

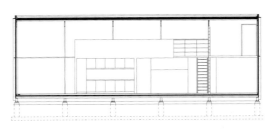

Sección · Section **A** ∣ Escala · Scale 1:300

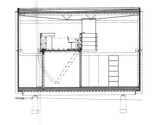

Sección · Section **B**

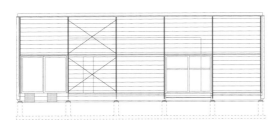

Alzado oeste · West elevation

● Maastricht

Liége
●
　　　Verviers
　　　●Jehanster

LOCALIZACIÓN · LOCATION: **JEHANSTER-VERVIERS, BÉLGICA** · BELGIUM
Proyecto · Design date: **1999**
Ejecución · Completion date: **2000**
Promotor · Client: **Denis-Ortmans**
Superficie · Area: **157 m²**
Coste · Cost: **91.720 €**
Arquitectos · Architects: **Bureau d'Etudes Dethier & Ass., Daniel Dethier**
Consultores · Consultants: **Jean Glibert** (artista · artist),
Ney & Partners (estructura · structural engineer)
Constructor · General contractor: **Daniel Stoffels sprl**
Fotografías · Photographs: **Jean-Paul Legros**

HOMBRUCH
Ampliación de una casa unifamiliar · Extension to a single-family house

En Hombruch, un suburbio al sur de Dortmund se amplía una casa unifamiliar de los años 40. Esta extensión alineada a la calle, situada junto a una hilera ordenada de casas tradicionales y con un tamaño similar al de éstas, se construye, sin embargo, con la misma arquitectura simplificada y concisa con la que se construiría una pequeña maqueta de madera, en la que no se reflejan ni desagües, ni aleros, ni chimeneas, y en la que las ventanas están dibujadas sobre el plano de fachada. Se trata, pues, de un edificio con una clara voluntad objetual, cuyo interior doméstico es paralelamente vaciado: se eliminan las divisorias, y el espacio se organiza en torno a una escalera central que separa los distintos ámbitos. ❚ This project is for an extension to a single-family house dating from the forties in Hombruch, a suburb to the south of Dortmund. This extension, aligned with the street alongside an orderly row of traditional houses and similar in size to these, is constructed using the same simplified, concise architecture that might be found in a small wooden model, in which there is no sign of drainpipes or eaves or chimneys, and the windows are set flush with the plane of the facade. This is a building with a clear sense of its condition as object, and the interior is similarly bare: dividing walls are eliminated and the resulting space is laid out around a central stairway that separates the various uses.

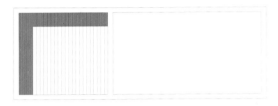

Planta de cubierta · Roof plan

Planta tercera · Third floor plan

Planta segunda · Second floor plan

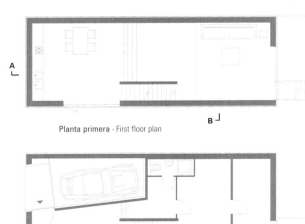

Planta primera · First floor plan

Planta baja · Ground floor plan ❚ Escala · Scale 1:200

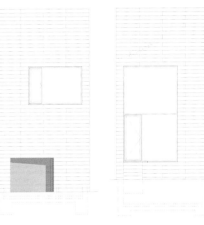

Alzado sur · South elevation

Alzado norte · North elevation

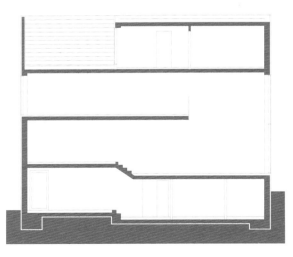

Sección · Section A ❚ Escala · Scale 1:200

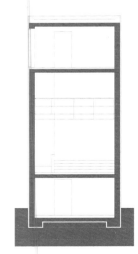

Emplazamiento · Site plan ❚ ← S

Sección · Section B

LOCALIZACIÓN · LOCATION: DORTMUND, ALEMANIA · GERMANY

Proyecto · Design date: 1999
Ejecución · Completion date: 2001
Promotor · Client: Sabine Ebeling, Martin Ebeling
Superficie · Area: 96 m²
Coste · Cost: 162.000 €
Arquitectos · Architects: Matthias Herrmann, Matthias Koch
Colaborador · Collaborator: Till Roggel
Consultores · Consultants: Assmann Beraten
+ Planen GmbH (estructura · structural engineers)
Fotografías · Photographs: Gernot Maul

SOMMIÈRES Casa Barak · Barak house

François Roche

Esta casa, construida para Judith y Ami Barak, director del Centro de Arte de Montpellier, está concebida como una tienda de campaña. Bajo la lona se distribuyen una serie de espacios cerrados y semiabiertos bajo esa primera envolvente textil que los protege de la radiación solar directa. El proyecto, situado en el entorno excepcional del castillo de Sommières, trata de conseguir un alto grado de mimetismo con el paisaje de forma que la casa se convierta en una interpretación de la topografía, como si se tratase de un nuevo pliegue del suelo, de un paisaje perfilado por las aristas de la lona o, simplemente, de un objeto furtivo agazapado entre las rocas. ▌ This house, built for Judith and Ami Barak, Director of the Montpellier Art Centre, is designed like a tent. A series of closed and semi-open spaces are laid out beneath its awning, a first fabric skin that provides protection from direct sunlight. The project, situated in the unique environs of the castle of Sommières, seeks a high degree of mimesis with the landscape, as a result of which the house becomes an interpretation of the topography, as though it were a new fold in the terrain, in a landscape drawn out by the ridges of the awning or, simply, a furtive object crouching among the rocks.

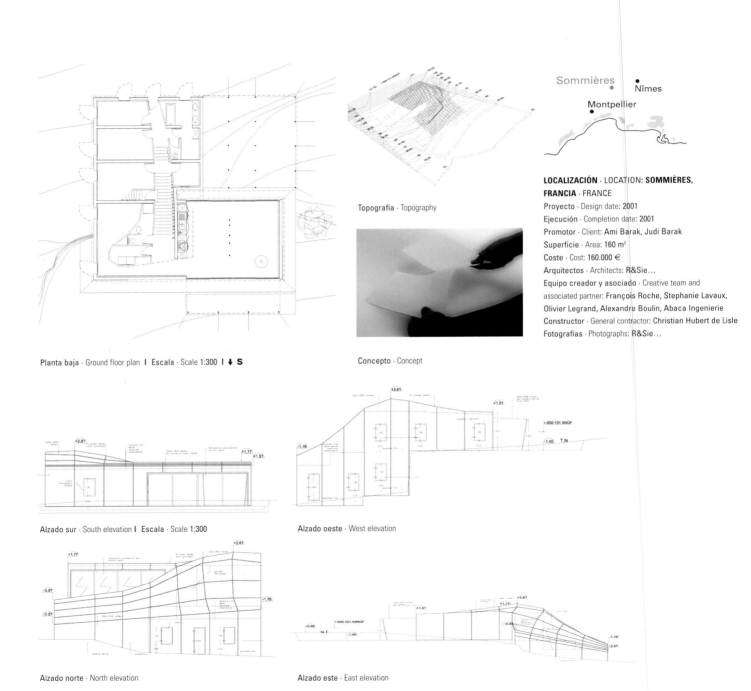

Topografía · Topography

Sommières • Nîmes

Montpellier

LOCALIZACIÓN · LOCATION: **SOMMIÈRES, FRANCIA** · FRANCE
Proyecto · Design date: **2001**
Ejecución · Completion date: **2001**
Promotor · Client: Ami Barak, Judi Barak
Superficie · Area: 160 m²
Coste · Cost: 160.000 €
Arquitectos · Architects: R&Sie...
Equipo creador y asociado · Creative team and associated partner: François Roche, Stephanie Lavaux, Olivier Legrand, Alexandre Boulin, Abaca Ingenierie
Constructor · General contractor: Christian Hubert de Lisle
Fotografías · Photographs: R&Sie...

Planta baja · Ground floor plan I Escala · Scale 1:300 I ↓ S

Concepto · Concept

Alzado sur · South elevation I Escala · Scale 1:300

Alzado oeste · West elevation

Alzado norte · North elevation

Alzado este · East elevation

REUS Villa Sílvia

Mamen Domingo, Ernest Ferré

Villa Sílvia se encuentra junto a una carretera comarcal al norte de Reus. La vivienda se ubica en el extremo norte de una parcela, enfrentada a la tramontana mediante un grueso muro de hormigón. Esta pared origina el proyecto, privatiza los espacios y las vistas y crea patios que estructuran el interior. Tras el muro, la casa se estructura en una serie de espacios diáfanos orientados a sur, de manera que el programa se concentra según el eje este-oeste en una franja de 6 x 22 m. Fragmentos recortados de forjado generan una serie de dobles espacios que conectan estancias y zonas de servicio. ▌ Villa Sílvia stands beside a local road to the north of the city of Reus. The house occupies the northern edge of the plot, protected from the north wind by a thick concrete wall. This wall is the basis of the project, shaping private spaces and views, and creating the patios that structure the interior. Behind the wall, the house is laid out in a series of light and open south-facing spaces, arranging the programme along a 6 x 22 metre strip that follows an east-west axis. Openings in the slab of the upper floor generate a series of double spaces connecting rooms and utility areas.

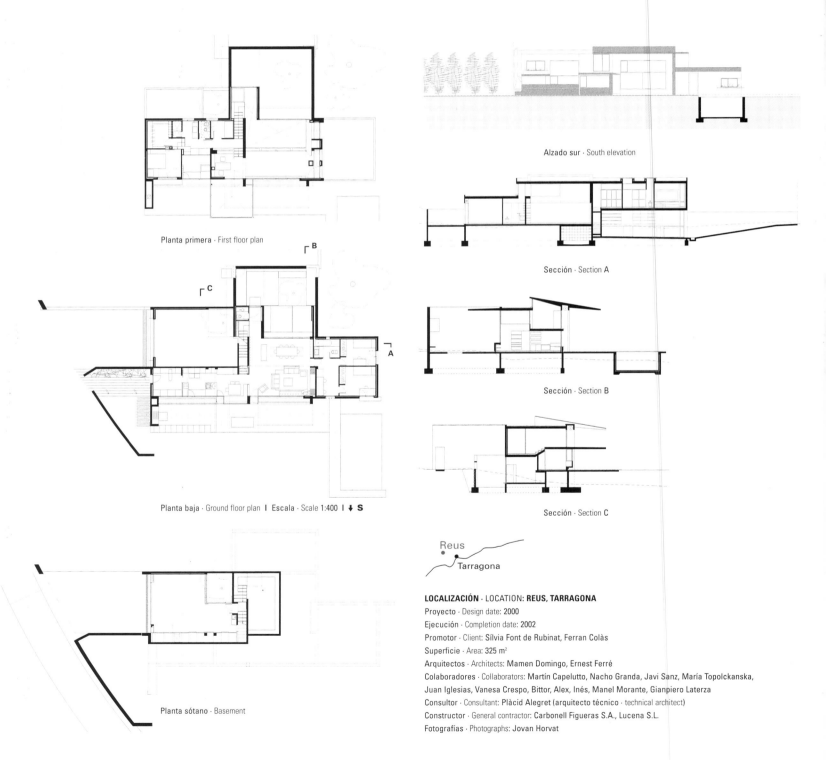

Planta primera · First floor plan

Planta baja · Ground floor plan ▌ Escala · Scale 1:400 ▌ ↓ S

Planta sótano · Basement

Alzado sur · South elevation

Sección · Section A

Sección · Section B

Sección · Section C

Reus
Tarragona

LOCALIZACIÓN · LOCATION: REUS, TARRAGONA

Proyecto · Design date: 2000
Ejecución · Completion date: 2002
Promotor · Client: Sílvia Font de Rubinat, Ferran Colàs
Superficie · Area: 325 m²
Arquitectos · Architects: Mamen Domingo, Ernest Ferré
Colaboradores · Collaborators: Martín Capelutto, Nacho Granda, Javi Sanz, María Topolckanska, Juan Iglesias, Vanesa Crespo, Bittor, Alex, Inés, Manel Morante, Gianpiero Laterza
Consultor · Consultant: Plàcid Alegret (arquitecto técnico · technical architect)
Constructor · General contractor: Carbonell Figueras S.A., Lucena S.L.
Fotografías · Photographs: Jovan Horvat

VIDRERES   Estudio Jorge de los Santos · Jorge de los Santos studio

Josep Llobet

El proyecto consiste en la construcción de un estudio para el artista Jorge de los Santos, anexo a su vivienda de Vidreres, una población situada a unos 60 km de Barcelona pero excelentemente conectada por autopista con la capital catalana. El trabajo de Josep Llobet se concentra en la búsqueda de soluciones constructivas sencillas que permitan ajustarse a un presupuesto especialmente bajo. El estudio ocupa una zona ya pavimentada de la antigua terraza de la casa de unos 100 m². Se trata de un único volumen rectangular con estructura de bloque de hormigón revestida de policarbonato en el exterior con un sistema de fachada ventilada. Una claraboya cenital convierte el volumen de hormigón a doble altura en un gran tragaluz. El lenguaje y los materiales utilizados para la construcción de este anexo acaban modificando el carácter de toda la casa. ∎ This project consists of the construction of a studio for the artist Jorge de los Santos, an annexe to his home in Vidreres, a village about 60 kilometres from Barcelona but well communicated by motorway with the Catalan capital.

Josep Llobet's scheme concentrates on the search for simple construction solutions that adapt easily to a particularly low budget. The studio occupies an already paved area of the house's former terrace, covering about 100 square metres. It comprises a single rectangular volume with a concrete block structure, clad on the outside with polycarbonate to create a ventilated facade system. The window in the roof turns the double-height concrete volume into a great skylight. The language and materials used to construct this annexe have effectively changed the character of the entire house.

Alzado suroeste · South-west elevation

Alzado sureste · South-east elevation

Sección · Section

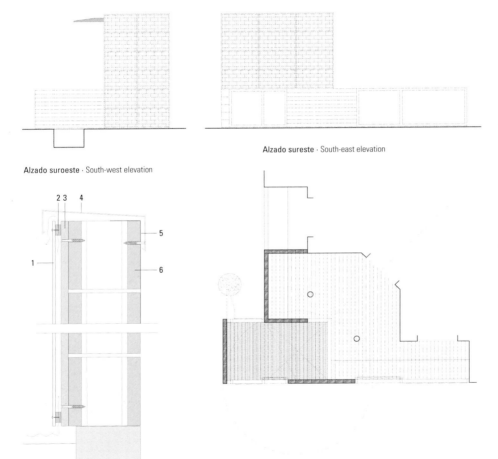

Detalle fachada · Facade detail I Escala · Scale 1:10

Planta · Ground floor plan I Escala · Scale 1:200 I ✎ S

1. Policarbonato celular incoloro e= 8 mm · Colourless cellular polycarbonate. 8 mm thick 2. Rastrel de madera de pino de Flandes 20 x 45 mm · Flanders pine sleeper. 20 x 45 mm 3. Rastrel de madera de pino de Flandes 30 x 45 mm · Flanders pine sleeper 30 x 45 mm 4. Chapa de zinc e= 2 mm · Zinc sheet. 2 mm thick 5. Lámina impermeabilizante de caucho-butilo e=1,2 mm · Butyl rubber waterproof sheet. 1.2 mm thick 6. Bloque de hormigón 195 x 195 x 398 mm · Concrete block. 195 x 195 x 398 mm

Situación preexistente · Pre-existing situation

Materiales de construcción · Construction materials

LOCALIZACIÓN · LOCATION: **VIDRERES, GIRONA**
Proyecto · Design date: 2000
Ejecución · Completion date: 2001
Promotor · Client: Jorge de los Santos
Superficie · Area: 34 m²
Coste · Cost: 19.333 €
Arquitecto · Architect: Josep Llobet
Colaboradores · Collaborators: Eduard Chopo, Nuria Feijoo, Anna Vela
Consultores · Consultants: Bernuz&Fernandez (estructura · structural engineers), Manel Fernández
Constructor · General contractor: Construccions Juan Call, Roca fusters, Xavier Roca
Fotografías · Photographs: Eugeni Pons

VILLANUEVA DE LA CAÑADA Estudio Gordillo · Gordillo studio

Ábalos & Herreros

El estudio del pintor Luis Gordillo ocupa la única franja disponible de la parcela en la que también se halla su casa, proyectada por Ábalos y Herreros cinco años antes. Se trata de un volumen prismático dentado que minimiza su presencia mediante el uso del policarbonato translúcido y de vegetación xerófila. Con este sistema se construye un interior semienterrado en el que la luz se ha modelado como un material sólido y expansivo con el fin no sólo de satisfacer las demandas propias del espacio de trabajo, sino también de crear un ambiente placentero, austero y sensual. **I** The studio of the painter Luis Gordillo stands on the only available strip on the parcel also occupied by his house, designed by Ábalos and Herreros five years pre- viously. It is a dentate prismatic volume that mini- mises its presence by using translucent polycar- bonate and dry-habitat plants. This system is used to construct a semi-sunken interior in which light is modelled like a solid expansive material with the aim not just of meeting the demands of the studio as a workplace, but also of creating an austere yet pleasant and sensual atmosphere.

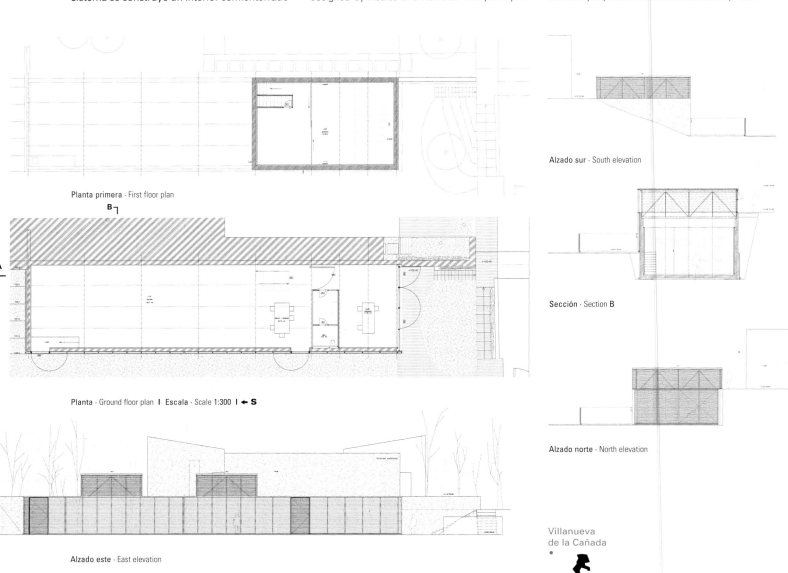

Planta primera · First floor plan

Planta · Ground floor plan I Escala · Scale 1:300 I ← **S**

Alzado sur · South elevation

Sección · Section B

Alzado norte · North elevation

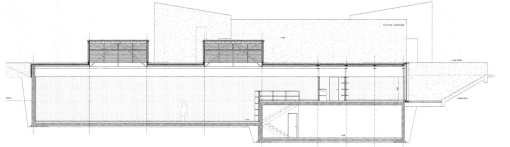

Alzado este · East elevation

Sección · Section A

Villanueva
de la Cañada

Madrid

LOCALIZACIÓN · LOCATION: **VILLANUEVA DE LA CAÑADA, MADRID**
Proyecto · Design date: 1999
Ejecución · Completion date: 2002
Promotor · Client: Luis Gordillo, Pilar Linares
Superficie · Area: 320 m²
Arquitectos · Architects: Iñaki Ábalos, Juan Herreros, Ángel Jaramillo
Colaboradores · Collaborators: Renata Sentkievicz,
Mª Auxiliadora Gálvez
Consultores · Consultants: José Torras (arquitecto técnico ·
technical architect), Juan Gómez (estructura · structural engineer),
Fernando Valero (paisajismo · landscape architect)
Fotografías · Photographs: Bleda y Rosa

LA FLORESTA   Casa unifamiliar · Single-family house

Willy Müller Arquitectos

El proyecto parte de dos fuertes condicionantes: un solar pequeño y triangular, y un presupuesto muy ajustado. Incorpora un trabajo previo desarrollado para el concurso Europan en el que se exploraba un modelo de urbanización basado en estructuras triangulares. Propone una ocupación máxima de la superficie construible de la parcela. La distancias normativas a los lindes definen el perímetro de la casa. El desarrollo del proyecto en sección busca una cierta amplitud espacial para un casa de 125 m². El programa se organiza en dos plantas: en la baja, los dormitorios, y en la primera, la sala de estar. Las tres fachadas son de un material distinto en función de la orientación: piedras, chapa metálica y vidrio. ▌This project was shaped by two conditioning factors: a small triangular plot and a very tight budget. It incorporates an existing design produced for the Europan competition, which explored an urban planning model based on triangular structures. It sets out to occupy to the maximum the usable surface area of the plot. The regulatory distances from the boundary define the house's perimeter. The development of the project in section seeks to create a sense of spatial amplitude in a house of 125 square metres. The programme is laid out over two floors, with the bedrooms on the ground floor and the living area on the first. The materials used for the three facades differs according to their orientation: stone, sheet metal or glass.

Planta primera · First floor plan

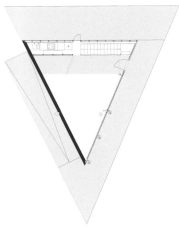

Planta baja · Ground floor plan   I   Escala · Scale 1:300

Sótano · Basement

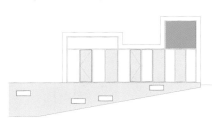

Alzado suroeste · South-west elevation

Alzado sureste · South-east elevation

Alzado norte · North elevation

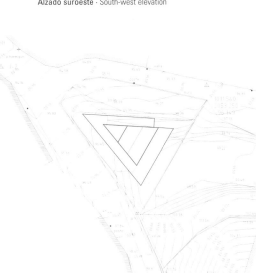

Emplazamiento · Site plan   I   Escala · Scale 1:1.000   I   ↓ S

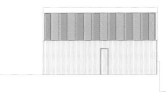

Sección · Section A

Sección · Section B

La Floresta

Barcelona

LOCALIZACIÓN · LOCATION: **LA FLORESTA**

Proyecto · Design date: 2001
Ejecución · Completion date: 2002
Promotor · Client: Marí-Ballester
Superficie · Area: 125 m²
Coste · Cost: 102.000 €
Arquitecto · Architect: Willy Müller
Colaboradores · Collaborators: Fred Guillaud (arquitecto asociado · associated architect), Catarina Morna
Consultores · Consultants: THB consulting
Constructor · General contractor: THB consulting
Fotografías · Photographs: Giovanni Zanzi

BARCELONA Punt Verd. Planta de gestión de residuos · Waste management plant

Willy Müller Arquitectos

El *Punt Verd* de Mercabarna es la planta de gestión de residuos del mercado central de abastos de Barcelona. La estructura arquitectónica de este conjunto industrial ha sido pensada como un reflejo del circuito que los materiales realizan desde su concentración inicial hasta la dispersión clasificada posterior al proceso de la planta. Las instalaciones de selección, compuestas por cintas transportadoras de materiales que separan los residuos en cuatro categorías (madera, cartón, plástico y material desechable) y tolvas de vertido de materia orgánica, se sitúan en un mismo muelle de descarga. Dos elementos en forma de grandes pliegues sugieren el recorrido de los residuos. El esqueleto se halla revestido de planchas metálicas en el exterior y de placas de *pladur* y policarbonato en el interior, con la intención de convertir el edificio en una gráfica de colores similar a los esquemas y curvas que analizan la evolución de los niveles de reciclaje. ∎ The *Punt Verd* at Mercabarna is the waste management plant for Barcelona's central wholesale market. The architectural structure of this industrial complex is designed to reflect the circuit followed by the materials from the initial collection point to the different classified sections after being processed at the plant. The selection facilities, comprising conveyor belts on which waste is separated into four categories (wood, cardboard, plastic and reject materials) and chutes for organic matter, are all situated in the same unloading bay. Two great folding elements suggest the route taken by the waste products. The frame is clad with sheet metal on the exterior and plasterboard and polycarbonate panels on the interior, with the aim of turning the building into a coloured graph with lines and curves that show the evolution of recycling levels.

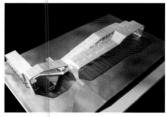

Maqueta · Model

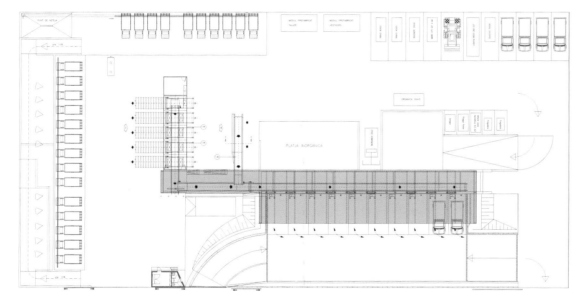

Planta · Ground floor plan **I** Escala · Scale 1:750 **I ↓ S**

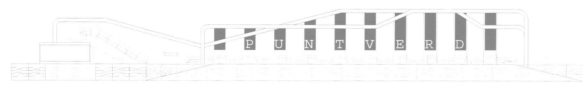

Alzado · Elevation **I** Escala · Scale 1:500

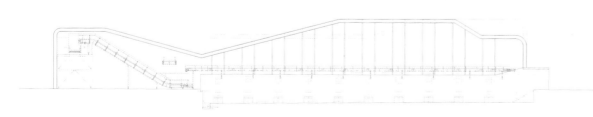

Sección longitudinal · Longitudinal section

Emplazamiento · Site plan
Escala · Scale 1:20.000 **I ← S**

LOCALIZACIÓN · LOCATION: BARCELONA
Proyecto · Design date: **2001**
Ejecución · Completion date: **2002**
Promotor · Client: **Mercabarna**
Superficie · Area: **6.200 m²**
Coste · Cost: **1.700.000 €**
Arquitecto · Architect: **Willy Müller**
Colaboradores · Collaborators: **Fred Guillaud (arquitecto asociado · associated architect), Catarina Morna**
Consultores · Consultants: **Ingeniería Raventós (estructura · structural engineers)**
Constructor · General contractor: **Zeta3**
Fotografías · Photographs: **WMA**

Quaderns 230

Humo de fàbrica
Factory smoke

TEXTOS · TEXTS: TONI NEGRI CARLES GUERRA PETER ROWE KEES CHRISTIAANSE DOMINIQUE PERRAULT ÁBALOS & HERREROS JORGE MESTRE **OBRAS · WORKS:** GABRIELE BASILICO HERZOG & DE MEURON ALBERT VIAPLANA BRUNER-COTT FREDERICK FISHER SHoP KEES CHRISTIAANSE MICHEL CORAJOUD FLINT ALEXANDRE CHE-METOFF JEAN NOUVEL BOUCHAIN-CONCORDET DOMINIQUE PERRAULT FINK+JOCHER KRAMM & STRIGL STEFAN BAADER UN STUDIO JORDI BERNADÓ ÁBALOS & HERREROS ANDREAS GURSKY

Quaderns 231

En tránsito
In transit

TEXTOS · TEXTS: MARC AUGÉ MICHAEL SORKIN FRANÇOISE SCHEIN IVAN BERCEDO ALEXIS KOUROS TERRY BERKOWITZ TOYO ITO JORGE MESTRE MARTHA ROSLER **OBRAS · WORKS:** FRANÇOISE SCHEIN ALEXIS KOUROS TERRY BERKOWITZ ROGELIO LÓPEZ CUENCA BÜRO 213 MÒNICA VILA SERGI GÒDIA MARTÍNEZ LAPEÑA-TORRES JÜRG CONZETT SHUHEI ENDO MATTHIAS LOEBERMANN CAMENZIND GRÄFENSTEINER ALFONS SOLDEVILA AGNETA HAHNE MAHLER-GÜNSTER-FUCHS MIKAN DOMINIQUE PERRAULT SAUERBRUCH-HUTTON TOYO ITO MARTHA ROSLER

Quaderns 232

Cuaderno de Nueva York
New York Notebook

TEXTOS · TEXTS: SASKIA SASSEN PETER MAR-CUSE CAMILO JOSÉ VERGARA JORDAN GREEN IVAN BERCEDO JORGE MESTRE SARAH HERDA RICHARD GLUCKMAN LYNNE COOKE **OBRAS · WORKS:** CAMILO JOSÉ VERGARA ARO LOT/EK ANDREW BERMAN AGREST & GAN-DELSONAS ROGERS & MARVEL DOUGLAS GAROFALO GREG LYNN MICHAEL McINTURF KLIMENT & HALSBAND SMITH-MILLER & HAWKINSON ERIETA ATTALI VITO ACCONCI STEVEN HOLL PAUL OTT GLUCKMAN & MAY-NER DAN GRAHAM

Quaderns 233

Tierra usada
Used land

TEXTOS · TEXTS: JOHN BERGER INÁ ELIAS DE CASTRO HUBERTUS VON AMELUNXEN PAUL VIRILIO BASHKIM SHEHU MATTHEW COOLIDGE BARTOMEU MARÍ AMANDA SCHACHTER JOSÉ ANTONIO LASHERAS **OBRAS · WORKS:** JOAN FONTCUBERTA CLUI SIAT BUREAU B+B JOSEP LLINÀS RUI-SÁNCHEZ-COLOMINAS ISABEL BENNASAR RCR ALDAY-JOVER-SANCHO JUAN NAVARRO BAL-DEWEG MECANOO COHEN-JUDIN SCHULZ-KROLMARK BRIAN MACKAY-LYONS JAE CHA GOUVERNEUR-GRAUER-BOFILL

Quaderns 234

Ciudad usada I
Used city I

TEXTOS · TEXTS: ENRIC CASASSES PIERRE BOURDIEU DAVID HARVEY NIKOS PAPASTER-GIADIS MANUEL GUERRERO **OBRAS · WORKS:** SERGIO BELINCHÓN RAMON PARRAMON DIEGO FERRARI DOMÈNEC CLAUS EN KAAN MVRDV EBNER-ECKERSTOR-FER B&K+ BRULLET-BALCELLS ESPECHE-MASSIP-SABATÉ HERZOG & DE MEURON

Quaderns 235

Ciudad usada II
Used city II

TEXTOS · TEXTS: ALLEN J. SCOTT - JOHN AGNEW - EDWARD W. SOJA - MICHAEL STORPER JORDI BORJA REM KOOLHAAS STEPHAN BERG ANTONIO PIZZA BEN VAN BERKEL-CAROLINE BOS **OBRAS · WORKS:** FRANCISCA BENÍTEZ NAOYA HATAKEYAMA JEAN-LUC GODARD ORIOL MAS-PONS LLINÀS-VERA DIENER & DIENER GEIPEL-MICHELIN GUILLERMO VÁZQUEZ CONSUEGRA FLÖCKNER-SCHNÖLL SEJIMA-NISHIZAWA FITÉ-MEJÓN COLL-LECLERC BENEDITO-ORTEU PLE-GUEZUELOS-SALESA BAENA-CASAMOR-QUERA DE ARCHITECTENGROEP UN STUDIO

Quaderns 236

Tiempo librado
Freed time

TEXTOS · TEXTS: JEAN BAUDRILLARD CARLES GUERRA TAIYANA PIMENTEL ANTONI MUN-TADAS HANS IBELINGS **OBRAS · WORKS:** MASSIMO VITALI BIEL CAP-LLONCH SANTIAGO SIERRA ANTONI MUNTA-DAS TONI GIRONÈS 10x15 F-451 JOSEP LLINÀS MARK FISHER KURT HANDLBAUER PÉRIPHÉRIQUES JEAN NOUVEL DILLER & SCOFIDIO GIGON & GUYER TERRADAS & TE-RRADAS DOMINIQUE PERRAULT HERZOG & DE MEURON HENRICH & TARRASÓ FOA

Quaderns

Boletín de subscripción y pedidos válido para España en el año 2003

Deseo subscribirme a la revista *Quaderns* a partir del número _____ inclusive.

Números anteriores: 22 €/u + gastos de envío

Estoy interesado en la adquisición del número anterior: 228 ☐ 229 ☐ 230 ☐ 231 ☐ 232 ☐ 233 ☐ 234 ☐ 235 ☐ 236 ☐ 237 ☐

Nombre:

CIF / DNI:

Dirección:

Población: Código Postal:

Provincia:

Teléfono: e-mail:

Importe de la subscripción: 75 € / 4 números (gastos de envío incluidos)

FORMAS DE PAGO

☐ **Adjunto talón a nombre de Editorial Gustavo Gili SA**

☐ **Domiciliación Bancaria**

Banco / Caja: Entidad nº:

Sucursal nº: D.C. nº:

Cuenta nº:

Dirección:

Población: Código Postal:

Provincia:

☐ **Tarjeta de crédito**   ☐ Visa   ☐ Mastercard

Número: Caduca:

Titular de la tarjeta:

Fecha: Firma:

Enviar por correo a: Editorial Gustavo Gili SA. Rosselló, 87-89. 08029 Barcelona. **O por fax al:** 93 322 92 05.
O directamente en nuestra web: http://quaderns.coac.net

Quaderns

Subscription card valid for all countries excluding Spain in the year 2003

I wish to subscribe to the magazine *Quaderns* starting with number _____ inclusive.

Previous issues: 22 €/each + delivery charge

I am interested in the adquisition of the issue number: 228 ☐ 229 ☐ 230 ☐ 231 ☐ 232 ☐ 233 ☐ 234 ☐ 235 ☐ 236 ☐ 237 ☐

Name:

Vat nº:

Address:

Country:

Telephone: e-mail:

International subscription rates: 100 € / 4 issues (including surface mail costs)

I ENCLOSE AS PAYMENT

☐ **Bank cheque made out to Editorial Gustavo Gili SA**

☐ **Postal order**   ☐ **Visa card**   ☐ **Mastercard**

Number: Expiry date:

Name of cardholder:

Date: Signature:

Please send it by mail to: Editorial Gustavo Gili SA. Rosselló, 87-89. 08029 Barcelona. **Or by fax to:** 93 322 92 05.
You can also subscribe through the following subscription agencies: EBSCO: www.ebsco.com / ROWE: www.rowe.com /
SWETS: www.swets.nl. **Or use our website:** http://quaderns.coac.net

http://quaderns.coac.net

Se imagina
que todo fuese tan **personalizable**
como la nueva serie **Unica**.

UNiCAbasic > **UNiCAcolors** > **UNiCAplus**

Múltiples posibilidades de elección de marcos, adaptación a cualquier estilo decorativo, marcos independientes de los bastidores y de los mecanismos, lo que nos permite personalizar en el último momento y sin demoras en la ejecución de la instalación, y todo ello en una misma serie. No intente imaginar nada más personalizable que la nueva serie Unica porque no existe.

Es Eunea. Es Personalización. Es Única.

eunea
Merlin Gerin

Schneider
Electric
Construir un nuevo mundo eléctrico

UNiCA

DELEGACIÓN NORDESTE • Sicilia, 91-97, 6.º • 08013 BARCELONA • Tel.: 93 484 31 01 • Fax: 93 484 31 57 • *http://unica.schneiderelectric.es*

Indiferentes al paso del tiempo

linker

...puesto por arcillas especiales y tras un proceso de cocción a altas temperaturas, el ladrillo

...er de CERÁMICA LA OLIVA tiene una naturaleza inalterable. Por su alta resistencia a compresión

...00daN/cm^2) y su baja absorción de agua (<4%), es la solución idónea para los proyectos y

...aciones que requieran una calidad contrastada.

Construmat Pabellón 7 F8

CERAMICA **LA OLIVA**®

Vereda del Prado, s/n • Tel. 925 55 47 00
Fax 925 55 41 26 • 45290 Pantoja (Toledo)
http:// www.ceramicalaoliva.es
E-mail: laoliva@laoliva.com

Tel. de Pedidos: **902 200 959**

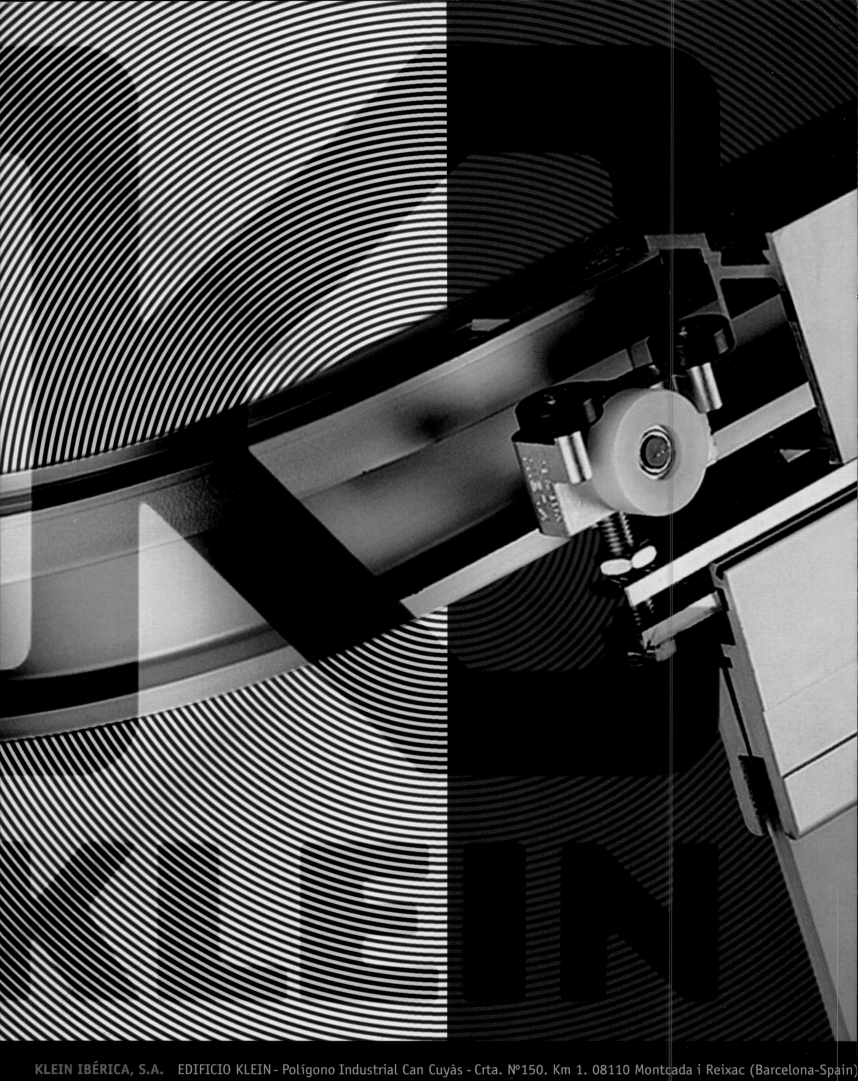

KLEIN IBÉRICA, S.A.   EDIFICIO KLEIN - Polígono Industrial Can Cuyàs - Crta. Nº150. Km 1. 08110 Montcada i Reixac (Barcelona-Spain)

Tel. (0034) 902 310 350   fax (0034) 902 199 667   klein@kleiniberica.com   http//: www.kleiniberica.com

REGULADORES
ELECTRONICOS ROTATIVOS

Gama:
• 1000 W/VA

Gamas:
• 500 W/VA con luminoso
• 500 W/VA universal (con luminoso)

Gamas:
• 300 W/VA
• 500 W/VA
• Fluorescencia
• Transformadores electrónicos 420 W/VA

MECANISMOS ELECTRONICOS
SISTEMA TACTO

Gamas:
• Regulador con luminoso 500 W/VA
• Interruptor/conmutador hasta 2000 W/VA
• Pulsador temporizado 500 W/VA

Confort / Ahorro

SERIE
Simon **82**

Convirtiendo la tecnología en su confort y seguridad

SIMON, S.A. Diputación, 390-392 / 08013 BARCELONA
Tel. 93 344 08 00 / Fax 93 344 08 03 / http://www.simon.es

El diseño, versatilidad y capacidad de adaptación de los sistemas divisorios Orada, diseñados por Ferran Morgui, permiten al creador de espacios realizar y personalizar sus proyectos, conservando su identidad.

Onadis
Numància 69-73, 7è A
08029 Barcelona
Tel. +34 93 363 38 02
Fax +34 93 363 38 53
onadis@onadis.com

onadis

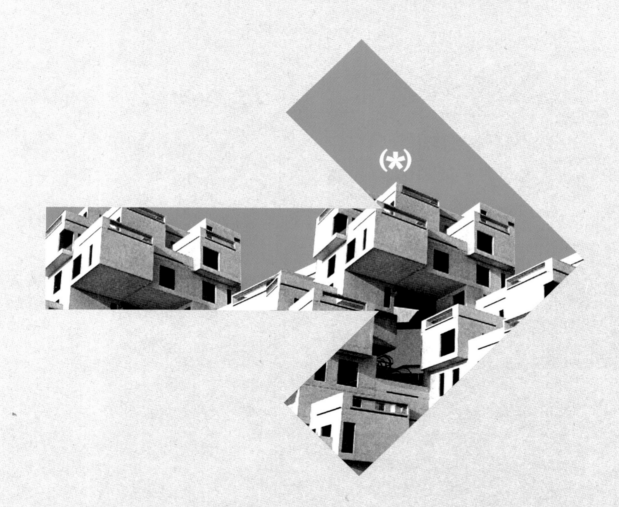

2G Números publicados
Issues published

n.23 24 Revista internacional de arquitectura International Architecture Review

nexus

Textos de Lina Bo Bardi
Entrevista con Lina Bo Bardi por Olivia de Oliveira
Texts by Lina Bo Bardi
Interview with Lina Bo Bardi by Olivia de Oliveira

2G Lina Bo Bardi
Obra construida Built work
Texto de | Text by Olivia de Oliveira

n.22 Revista internacional de arquitectura International Architecture Review

nexus

Hans Ulrich Obrist entrevista a Ábalos&Herreros y Cedric Price
Hans Ulrich Obrist interviews Ábalos&Herreros and Cedric Price

2G Ábalos&Herreros
Textos de | Texts by Florian Beigel, Philip Christou | Cristina Díaz Moreno, Efrén García Grinda | Ábalos&Herreros

Nº 1. David Chipperfield. Obra reciente (agotado) | Nº 2. Toyo Ito. Sección 1997 | Nº 3. Landscape. Estrategias para la construcción del paisaje | Nº 4. Arne Jacobsen. Edificios públicos | Nº 5. Eduardo Souto de Moura. Obra reciente | Nº 6. Ushida Findlay | Nº 7. R.M. Schindler. 10 Casas | Nº 8. Arquitectura latinoamericana. Una nueva generación | Nº 9. Williams Tsien. Obras | Nº 10. Instant China | Nº 11. Baumschlager & Eberle | Nº 12. Craig Ellwood. 15 Casas (agotado) | Nº 13. Carlos Jiménez | Nº 14. Construir en las montañas. Arquitectura reciente en los Grisones | Nº 15. Arquitectura italiana de la posguerra 1944-1960 | Nº 16. Foreign Office Architects | Nº 17. Marcel Breuer. Casas americanas | Nº 18. Arquitectura y energía | Nº 19. Waro Kishi. Obra reciente | Nº 20. Arquitectura portuguesa. Una nueva generación | Nº 21. Lacaton & Vassal | Nº 22. Ábalos&Herreros | Nº 23-24. Lina Bo Bardi

No. 1 David Chipperfield. Recent work (out of print) | No. 2 Toyo Ito. Section 1997 | No. 3 Landscape. Strategies for the construction of landscape | No. 4 Arne Jacobsen. Public buildings | No. 5 Eduardo Souto de Moura. Recent work | No. 6 Ushida Findlay | No. 7 R.M. Schindler. 10 Houses | No. 8 Latin American architecture. A new generation | No. 9 Williams Tsien. Works | No. 10 Instant China | No. 11 Baumschlager & Eberle | No. 12 Craig Ellwood. 15 Houses (out of print) | No. 13 Carlos Jiménez | No. 14 Building in the Mountains. Recent Architecture in Graubünden | No. 15 Postwar Italian Architecture 1944-1960 | No. 16 Foreign Office Architects | No. 17 Marcel Breuer. American Houses | No. 18 Architecture and energy | No. 19 Waro Kishi. Recent Works | No. 20 Portuguese architecture. A new generation | No. 21 Lacaton & Vassal | No. 22 Ábalos&Herreros | No. 23-24 Lina Bo Bardi